Gelert
ar goll

Gelert ar goll

Helen Emanuel Davies

Lluniau Helen Flook

Gomer

Cyhoeddwyd gyntaf yn 2013 gan
Wasg Gomer, Llandysul, Ceredigion, SA44 4JL.
www.gomer.co.uk

ISBN 978 1 84851 652 6

Dymuna'r cyhoeddwyr gydnabod cefnogaeth
Adrannau Cyngor Llyfrau Cymru.

Argraffwyd a rhwymwyd yng Nghymru gan
Wasg Gomer, Llandysul, Ceredigion.

1

Galwad ffôn!

Roedd Alun yn gwylio'r teledu.

'Dyma Sianel y Sialens,' meddai'r cyflwynydd, Rhion Wiliam, yn gyffrous. Gwisgai grys-T â

draig goch enfawr arno. 'Byddwn ni'n darlledu am wyth awr y dydd yr wythnos nesaf pan fydd Sialens Ieuenctid y Byd yn cychwyn yng Nghymru.' Ychwanegodd yn frwdfrydig, 'Cofiwch hefyd y gallwch chi lawrlwytho App y Sialens. Ac yn bennaf oll, COFIWCH GEFNOGI TÎM CYMRU! MAE ANGEN EICH CEFNOGAETH CHI ARNYN NHW!'

Diffoddodd Alun y teledu a syllu allan trwy'r ffenest. Roedd ei stafell ar y llawr uchaf, ac roedd ganddo olygfa wych dros y pentref. Dydd Mercher oedd hi yng nghanol gwyliau haf yr ysgol, ond doedd Alun ddim yn hapus.

Cychwynnodd ar ei ffordd i lawr y grisiau, a'i gi, Twm, wrth ei sodlau. Ci brown blewog oedd Twm. Roedd ganddo lygaid mawr tywyll ac un glust i fyny ac un glust i lawr. Er bod Twm yn hen, roedd yn dal yn fywiog a fyddai e byth yn crwydro ymhell o ochr Alun. Ar landin yr ail lawr daeth Alun ar draws ei fam. Roedd hi'n cario dillad gwely.

'Mae gen i ddiwrnod prysur heddiw,' meddai Mam â gwên. 'Mae llawer o westeion yn cyrraedd heno.'

'Wyt ti eisiau i fi helpu?' gofynnodd Alun,

gan obeithio ar yr un pryd na fyddai hi'n gofyn iddo wneud rhywbeth.

'Na, dim diolch, mae popeth dan reolaeth,' atebodd Mam.

Roedd Alun a'r teulu'n byw yng Ngwesty Llety Ceirios yn Llainfathew. Roedden nhw wedi bod yno ers dros flwyddyn, ac erbyn hyn roedd y gwesty'n llewyrchus iawn ac yn denu llawer o westeion oedd yn hoffi dod ar wyliau i bentref hyfryd Llainfathew.

A dyna'r broblem, meddai Alun wrtho'i hun. Achos bod y gwesty mor llwyddiannus, mae Mam a Dad yn rhy brysur i gymryd gwyliau. Allwn ni ddim mynd i wylio Sialens Ieuenctid y Byd.

Sialens Ieuenctid y Byd oedd un o'r prif gystadlaethau her yn y byd ar gyfer pobl ifanc, ac roedd Prif Weinidog Cymru wedi gwneud camp fawr yn sicrhau bod y Sialens yn cael ei chynnal yng Nghymru. Roedd timau o dros ddeg ar hugain o wledydd ledled y byd wedi bod yn cystadlu am yr hawl i fod yno, ac o'r diwedd roedd deg tîm wedi cymhwyso i gymryd rhan mewn pedair sialens anodd i'w cynnal mewn lleoliadau ar hyd a lled Cymru. Roedd Alun ar dân eisiau mynd i weld y timau'n cystadlu, ond doedd dim amser gan Mam na Dad i fynd ag ef.

'Gwranda,' meddai Dad, wrth weld mor siomedig oedd Alun, 'mae'r seremoni wobrwyo'n cael ei chynnal yn Stadiwm y Mileniwm, Caerdydd, ac os gallwn ni gael tocynnau i fynd yno i'w gwylio, fe awn ni'n dau i lawr am benwythnos.'

Gwych! Roedd Alun wrth ei fodd ac fe wnaethon nhw gais am docynnau. Chlywson nhw 'run gair am rai wythnosau. Yna daeth llythyr yn dweud nad oedd dim tocynnau ar ôl. Am siom!

Yr unig beth oedd yn gwneud i Alun deimlo'n well oedd y byddai ef a Jac yn gallu gwylio popeth ar Sianel y Sialens gyda'i gilydd. Jac oedd ffrind gorau Alun, a doedd yntau chwaith ddim yn gallu mynd i wylio'r cystadlu. Roedd Jac hefyd wedi methu cael tocynnau, ac ar ben hynny, roedd ei dad, pennaeth amgueddfa Llanelin, wedi gorfod mynd ar fyr rybudd i gynhadledd bwysig yn y Swistir.

Erbyn hyn, roedd Alun wedi cyrraedd troed y grisiau. Aeth i mewn i'r lolfa ac yno, wrth y cownter mawr lle roedd gwesteion yn cael eu croesawu i'r gwesty, eisteddai Mam-gu, yn edrych yn bwysig iawn o flaen clamp o gyfrifiadur. Y tu ôl iddi ar y wal roedd drych mawr â'r geiriau 'Croeso i Lety Ceirios' wedi'u printio arno. Gwelodd Alun ei hun yn y drych – bachgen un ar ddeg oed â llond pen o wallt coch tanbaid.

'Haia,' meddai Mam-gu, 'dere i weld beth dw i wedi bod yn 'i wneud ar wefan Lety Ceirios heddiw.'

Roedd Mam-gu'n dipyn o giamstar ar y cyfrifiadur, ac roedd hi wrth ei bodd yn gweithio ar wefan Lety Ceirios. Roedd y wefan wedi ennill gwobr, hyd yn oed!

'O, ym, o'r gorau,' atebodd Alun, braidd yn anfodlon. Roedd Mam-gu'n mwynhau gweithio ar y cyfrifiadur, a'r peryg oedd y gallai gadw Alun yno am weddill y bore!

Llithrai bysedd Mam-gu'n esmwyth dros y bysellfwrdd. 'Dw i eisiau i ti esgus mai cwsmer wyt ti, a dw i am i ti lanw'r ffurflen yma ar y cyfrifiadur,' meddai.

Gydag ochenaid, dechreuodd Alun ateb y cwestiynau. Roedd e bron â chyrraedd diwedd yr holiadur pan ganodd ei ffôn. Diolch byth! Wrth dynnu'r ffôn o'i boced, teimlodd Alun wefr o bleser fel y gwnâi bob tro yr edrychai arno. Ffôn glas llachar newydd sbon oedd e, anrheg ben-blwydd oddi wrth ei rieni. Roedd y ffôn yma'n gallu gwneud popeth – tynnu lluniau, cysylltu â'r we – doedd dim diwedd ar ei driciau! Roeddech chi hyd yn oed yn gallu cael sgwrs wyneb yn wyneb â rhywun gan fod camera arbennig arno. Bydd yn rhaid i mi gofio lawrlwytho App y Sialens, meddyliodd Alun.

Edrychodd ar y sgrin fechan. Tecst oedd wedi cyrraedd oddi wrth Jac, a'r neges oedd:

'Newyddion pwysig iawn! Dere draw AR UNWAITH!'

Gwenodd Alun. Roedd pob neges oddi wrth Jac yn un bwysig iawn! Hwyrach mai wedi gweld rhaglen ddiddorol ar y teledu mae e, meddyliodd Alun.

'Dw i wedi gorffen yr holiadur,' meddai wrth Mam-gu, 'ac mae Jac wedi ffonio. Mae Twm a fi'n mynd draw i'w dŷ e. Iawn?'

'Iawn,' meddai Mam-gu. Ond roedd ei sylw hi ar yr holiadur roedd Alun newydd ei gwblhau. Mwmianodd, 'Rhowch groes yn y bocs am stafell wely â baddon . . .'

Clymodd Alun dennyn am wddw Twm, ac i ffwrdd â nhw.

Ymhen pum munud roedd y ddau'n sefyll y tu allan i gartref Jac. Roedd Alun ar fin canu'r gloch pan agorodd y drws, a daeth mam Jac allan. Roedd Alun yn hoffi Helen Jones. Byddai hi bob amser yn gwenu, ac roedd hi a mam Alun wedi dod yn ffrindiau mawr byth ers i'r teulu ddod i Lety Ceirios. Yn wir, roedd Helen Jones bob amser yn barod i helpu yn y gwesty ar adegau prysur.

'O helô, Alun,' meddai â gwên. 'Dw i ar fy ffordd draw i Lety Ceirios nawr. Rhaid bod dy fam yn brysur heddiw, a'r holl westeion yn cyrraedd.'

'Roedd hi wedi dechrau paratoi'r stafelloedd cyn i mi ddod allan,' atebodd Alun.

'Gwell i mi frysio, felly,' meddai Helen. 'Cer i mewn. Mae Jac yn dy ddisgwyl di. Mae e wrth ei fodd heddiw,' ychwanegodd â gwên. 'Newyddion da, ontefe?'

I ffwrdd â hi ar frys. Syllodd Alun yn syn ar ei hôl. Beth oedd y newyddion mawr yma, tybed?

Aeth i mewn i'r tŷ gan weiddi, 'Haia, Jac!'

Cyn iddo orffen siarad, clywodd sŵn sawl pâr o draed yn sgrialu o'r gegin, a daeth Jac i'r golwg yn rhuthro tuag at Alun. Deg oed oedd Jac, flwyddyn yn iau nag Alun, ac roedd ganddo wallt cyrliog du. Yn dynn ar ei sodlau roedd ci bach du a gwyn. Erbyn i Jac a'r ci gyrraedd y drws ffrynt, y ci bach oedd ar y blaen, a Jac druan ar ei hyd ar lawr, ar ôl baglu drosto.

Chwarddodd Alun. 'Helô, Ffranco,' meddai, gan blygu i roi mwythau i'r ci. Ceisiodd osgoi cael ei lyfu dros ei wyneb a'i wallt. Yn sydyn, cyfarthodd Twm. Neidiodd Ffranco tuag ato a bu gêm fawr o gyfarth a rhedeg rownd a rownd Jac, oedd yn dal ar ei hyd ar lawr.

'Byddet ti'n meddwl bod Ffranco heb weld Twm ers blynyddoedd,' meddai'n sarrug wrth godi ar ei draed.

'A dim ond ddoe aethon ni â nhw am dro hir gyda'i gilydd,' cytunodd Alun.

'Eistedd, Ffranco,' meddai Jac yn gadarn. Llonyddodd y ci bach ar unwaith ac eistedd yn ei unfan, ei dafod yn hongian allan o'i geg. Eisteddodd Twm hefyd. Roedd yr hen gi'n eitha balch o gael hoe fach!

12

'Gwranda,' meddai Jac yn bwysig wrth Alun. 'Mae gen i newyddion da iawn. Gwranda ar hyn. Mae Wncl Jim wedi bod ar y ffôn . . .'

'Pwy yw Wncl Jim?' gofynnodd Alun yn gyflym.

'Brawd Mam,' meddai Jac yn ddiamynedd, 'Jim Wiliams. Mae e'n byw yng Nghaerdydd. Ond mae e angen gwyliau, ac mae e wedi llogi bwthyn yng nghyffiniau mynydd Pumlumon. Mae ef a Catrin, fy nghyfnither, yn mynd i aros yno am wythnos. Mae Anti Anna, mam Catrin, yn gweithio yn y Cynulliad, a bydd hi'n brysur iawn am sbel oherwydd Sialens Ieuenctid y Byd.'

Torrodd Alun ar ei draws. A dweud y gwir, doedd ganddo fawr o ddiddordeb yn y stori faith yma am Wncl Jim. 'Welaist ti'r rhaglen am y Sialens ar y teledu heddiw?' gofynnodd yn eiddgar. 'Glywaist ti am App y Sialens? Dw i'n mynd i lawrlwytho'r App ar fy ffôn heddiw os galla i . . .'

'Gwranda, wnei di,' meddai Jac yn fwy diamynedd fyth. 'Gofynnodd Wncl Jim a hoffwn i fynd i aros gydag e yn y bwthyn. Mae'n dweud bod y bwthyn yn agos at y fan lle maen nhw'n cynnal Sialens y Mynydd!'

'Gwych!' meddai Alun. Ceisiodd beidio â dangos pa mor eiddigeddus oedd e o Jac.

Ond doedd Jac ddim wedi gorffen eto. 'Wrth gwrs,' meddai, 'ro'n i wrth fy modd, a dyma fi'n gofyn a gâi fy ffrind gorau ddod hefyd. A dywedodd Wncl Jim fod croeso i ti ddod, os wyt ti eisiau!'

Doedd Alun ddim yn gwybod beth i'w ddweud. Roedd ei lygaid fel soseri. 'Hwrê!' meddai o'r diwedd. 'Byddai hynny'n grêt!' Yna meddyliodd am rywbeth. 'Ond beth am Twm? Fyddai e'n gallu dod? Alla i ddim mynd ar wyliau heb Twm,' meddai'n bendant.

'Wel, mae Ffranco'n dod, ac mae Twm yn llawer mwy ufudd na Ffranco. Byddai Twm yn help i gadw Ffranco allan o drwbl!' meddai Jac gan chwerthin. 'Mae Mam yn mynd i ffonio Wncl Jim heno i wneud y trefniadau i gyd. Hei! Dw i'n edrych ymlaen at weld Sialens y Mynydd. Dw i'n siŵr mai tîm America fydd yn ennill!'

'O na!' atebodd Alun ar unwaith. 'Dw i'n meddwl mai tîm Ethiopia fydd yn ennill Sialens y Mynydd. Nhw sydd â'r rhedwyr mynydd gorau, o bell ffordd.'

Aeth y drafodaeth ymlaen ac ymlaen, nes i Twm a Ffranco gael llond bol. Cododd Twm ei bawen a rhoi bonclust bach ysgafn i Ffranco. Ar unwaith neidiodd hwnnw ar ei draed a chymryd arno ei fod o'i go, gan redeg o gwmpas a chyfarth yn wyllt . . .

Gelert yn galw

Y noson honno, roedd hi'n dywyll yng nghegin gefn Llety Ceirios. Gorweddai Twm yn ei fasged o flaen yr Aga. Roedd e'n gyfforddus iawn ac ar fin cysgu, ond yn sydyn dirgrynodd ei goler glas. Gwyddai Twm y byddai'r botwm coch arno'n fflachio hefyd.

'Tonfedd C4. Gelert yn galw. Gelert yn galw. Fflach frys. Angen asiantau. Pwy sy'n rhydd ac yn barod i wasanaethu? Atebwch ar unwaith. Mae argyfwng wedi codi. Drosodd.'

Gorweddodd Twm yn llonydd am funud neu ddwy. Doedd y botwm coch ddim wedi fflachio ers peth amser. Ond nawr roedd Gelert yn galw unwaith eto! Cofiodd Twm am y tro diwethaf y bu'n gweithio fel asiant cudd i Gelert, pennaeth C4. Bryd hynny, roedd e wedi helpu i ddal a charcharu lladron peryglus iawn. Ond roedd e wedi cael ei anafu'n ddrwg, ac roedd Gelert wedi dweud na fyddai byth eto'n galw ar Twm i wneud gwaith peryglus fel asiant.

Rhaid bod rhywbeth mawr o'i le, meddai Twm wrtho'i hun. Meddyliodd am Gelert, y ci dewr oedd yn bennaeth asiantaeth C4, Cŵn Cymru Cyfrinachol Cyf. Roedd rhai'n dweud mai un o ddisgynyddion Gelert, ci Llywelyn Fawr, oedd e. Wyddai Twm ddim am hynny, ond Gelert yn sicr oedd y ci dewraf iddo ddod ar ei draws erioed. Roedd asiantau C4 i gyd yn edrych i fyny ato. Gwyddai Twm hefyd fod C4 yn gwneud gwaith pwysig iawn. Pan fyddai rhywbeth mawr o'i le, byddai pobl bwysicaf Cymru yn aml yn troi at Gelert am gymorth.

Alla i ddim gwrthod, meddyliodd. Rhaid i mi ateb yr alwad.

'Tonfedd C4. Asiant Twm yn galw Gelert. Asiant Twm yn galw Gelert.'

2

Ar y ffordd

Ben bore dydd Iau, roedd Jac ar y ffôn unwaith eto.

'Mae Mam wedi gwneud trefniadau gydag Wncl Jim,' meddai. 'Bydd hi'n mynd â ni yn y car i Wasanaethau Pont Abraham ar ddechrau'r M4 fory, a byddwn ni'n cyfarfod ag Wncl Jim a Catrin yno. Fe fyddi di'n hoffi Catrin,' ychwanegodd. 'Mae hi'n hwyl.'

Doedd Alun ddim wedi cymryd llawer o sylw pan soniodd Jac am ei gyfnither, a dechreuodd deimlo ychydig yn betrusgar. Roedd Alun yn teimlo'n swil yng nghwmni merched, ac fe fyddai wastad yn cochi o glust i glust. Cofiai fel y byddai Mostynna Mott a'i ffrindiau'n gwneud hwyl am ei ben yn yr ysgol am ei fod mor swil. Ond mae Mostynna Mott wedi mynd, meddyliodd, a dw i'n siŵr na fydd Catrin yn debyg iddi hi o gwbl.

Aeth dydd Iau heibio mewn corwynt o baratoi wrth i Alun bacio bag yn barod ar gyfer ei wyliau. Os oedd y bwthyn mewn lle unig, tybed a fyddai siop yn agos lle gallai brynu bwyd i Twm? Rhag ofn na fyddai, aeth Alun draw i'r archfarchnad fach ar ben y stryd a phrynu digon o fwyd ci am wythnos. Erbyn diwedd y prynhawn, roedd popeth yn barod.

Cofiodd Alun fod Sianel y Sialens yn darlledu, ac aeth i'r lolfa i wylio'r rhaglen ar deledu mawr y gwesty. Roedd gwesteion o'r Iseldiroedd yn aros yn Llety Ceirios, ac roedden nhw wrth eu boddau pan eglurodd Alun y gallen nhw wylio campau eu tîm cenedlaethol ar y sianel arbennig. Roedd y rhaglen yn ddiddorol, ac yn dangos cystadleuwyr yn dechrau cyrraedd o bedwar ban byd – tîm Awstralia'n dringo ar eu hawyren yn y maes awyr yn Sydney, a thîm yr Alban yn gadael Caeredin mewn bws mawr.

'Cofiwch am App y Sialens,' meddai'r cyflwynydd unwaith eto ar ddiwedd y rhaglen. 'Gallwch chi lawrlwytho'r App yn rhad ac am ddim.'

Aeth Alun ati ar unwaith i wneud hynny ar ei ffôn, ac roedd wrth ei fodd pan welodd beth allai ei wneud ag ef. Gallai weld bywgraffiadau o aelodau'r timau. Sylwodd fod Rhys Llwyd Elis, capten tîm Cymru, yn hwyliwr penigamp ac yn rhedwr da hefyd. Pan fyddai'r cystadlu'n dechrau, gwelodd Alun y gallai dracio cystadleuwyr unigol wrth iddyn nhw gyflawni'r sialensiau, gan symud o un i'r llall i weld pwy oedd ar y blaen.

Roedd Alun yn eistedd ar y soffa yn y lolfa, yn brysur ar yr App, pan ddaeth Mam-gu i mewn i'r stafell a dweud rhywbeth wrtho. Roedd Alun yn canolbwyntio mor galed fel na chlywodd beth oedd hi'n ei ddweud am eiliad, ond yn sydyn clywodd y geiriau peryglus 'pryd o fwyd arbennig'. Ar unwaith, dechreuodd dalu sylw.

'Gan dy fod ti'n mynd ar dy wyliau fory, dw i'n bwriadu gwneud pryd o fwyd arbennig i ni heno,' meddai Mam-gu. 'Dw i wedi gweld rysáit newydd sbon ar y we – cig cwningen a ffa du mewn caserôl marmeit a finegr gwyn . . .'

O na! Roedd hyn yn ofnadwy! Roedd Alun a'i rieni bob amser ar eu gwyliadwriaeth pan fyddai Mam-gu'n dechrau sôn am goginio. Roedd hi'n wych ar y cyfrifiadur, ond doedd dim siâp arni'n coginio! Byddai'n rhaid osgoi un o'i phrydau rhyfedd ar bob cyfri! Ond sut?

Y funud honno, daeth Mam i mewn i'r lolfa a golwg pur flinedig arni.

'Rydyn ni i gyd wedi gweithio'n galed iawn yr wythnos yma'n paratoi ar gyfer y gwesteion a gofalu amdanyn nhw,' meddai wrth Mam-gu ac Alun. 'Dw i 'di penderfynu ei bod hi'n bryd i ni gael trît bach. Dw i 'di ffonio Marco yn y bwyty Eidalaidd a gofyn am bryd *takeaway* sbesial i ni. Mae Dad newydd fynd i'w nôl.'

'Ond . . .' dechreuodd Mam-gu.

'Syniad grêt, Mam,' meddai Alun yn gyflym. 'Ti'n haeddu trît, Mam-gu. Fe af i i osod y bwrdd.'

Roedd y pryd yn arbennig o flasus, ac fe gafodd Alun orffen yr hyn oedd yn weddill o'r pwdin *tiramisù*. Llwyddodd hefyd i gadw tamaid o'r *lasagne* cig i Twm. Roedd Twm yn hoff iawn o fwyd Eidalaidd!

'Gan dy fod ti'n mynd ar dy wyliau fory, Alun, dyma anrheg fach i ti,' meddai Dad, pan oedden nhw wedi gorffen. Yn ei law roedd hanner can punt!

'Waw, diolch, Dad!' meddai Alun.

Ac roedd mwy i ddod. Estynnodd Mam-gu arian o'i phwrs. 'Rwyt ti wedi helpu cryn dipyn arna i gyda'r holiaduron cwsmeriaid,' meddai. 'Dyma rywbeth bach i ti.' Pum punt ar hugain!

'Grêt! Diolch, Mam-gu!' Roedd Alun wrth ei fodd. Chwarae teg i Mam-gu!

Y bore wedyn, roedd Llety Ceirios yn ferw o brysurdeb, gyda Dad yn y gegin yn paratoi brecwast i'r gwesteion a Mam yn gweini wrth y byrddau. Roedd Alun hefyd wedi codi'n gynnar. Cyn hanner awr wedi wyth roedd Twm ac yntau, a dau gês a basged wely Twm wrth eu traed, yn sefyll wrth ddrws ffrynt Llety Ceirios yn disgwyl am Jac a'i fam. Edrychai Alun ar ei wats bob ugain eiliad. Ble yn y byd oedden nhw?

Yn sydyn canodd ei ffôn. O na! Oedd rhywbeth o'i le? Oedden nhw'n ffonio i ddweud na allen nhw ddod? Jac oedd yno.

'Ry'n ni ar y ffordd,' meddai. 'Byddwn ni'n troi i mewn i ddreif Llety Ceirios – NAWR!'

Ac fe ymddangosodd y car ar y gair.

Wyddai Alun ddim p'un ai Jac ai Ffranco oedd fwyaf cyffrous! Roedd cynffon Ffranco'n chwifio fel melin wynt, a Jac yn clebran yn ddi-baid!

'Haia, Alun!' meddai Helen Jones yn gyfeillgar.

'Wyt ti'n barod? Dau gês? Diolch byth bod digon o le!'

Ymhen dim, roedd pawb yn eistedd yn gyfforddus yn y car. Eisteddai Alun yn y ffrynt gyda Helen Jones, a gorweddai Twm yn dawel ar y sedd gefn. Roedd Jac yn y cefn hefyd, yn gafael yn dynn yn nhennyn Ffranco.

Erbyn iddyn nhw gyrraedd Pont Abraham, roedd hi'n amser cinio, a sylweddolodd Alun ei fod bron â llwgu. Wedi iddyn nhw ofalu bod Twm a Ffranco'n iawn, aeth Alun, Jac a Helen Jones i mewn i'r caffi i gael bwyd.

Roedd Jac ac Alun yn mwynhau plataid o sglodion pan glywson nhw lais mawr yn gweiddi o gyfeiriad y drws, 'Helen!'

Bu bron i bawb o gwsmeriaid y caffi neidio allan o'u crwyn, ac Alun gyda nhw, ac edrychodd pawb yn syn i gyfeiriad y sŵn. Pawb ond Jac a Helen Jones! Gwenu ar ei gilydd wnaethon nhw.

'Wncl Jim!' medden nhw gyda'i gilydd.

Edrychodd Alun draw at y drws gyda diddordeb. Gwelodd ddyn mawr fel cawr yn llenwi ffrâm y drws. Roedd ganddo wallt du cyrliog a barf, ac roedd yn gwenu'n llydan. Dechreuodd gerdded trwy'r caffi at y bwrdd lle roedd Alun a'r lleill yn eistedd. Roedd ei freichiau ar led, a bu'n rhaid i rai o'r bobl oedd yn eistedd wrth fyrddau cyfagos symud eu pennau'n gyflym i osgoi cael bonclust gan un o ddwylo mawr Wncl Jim. Roedd ar fin cyrraedd eu bwrdd pan faglodd dros fag y fenyw ar y bwrdd nesaf. Gan geisio achub ei hun rhag syrthio, gafaelodd yn y bwrdd a'i siglo nes i'r cwpanaid te roedd hi'n ei hyfed sarnu dros bob man.

'Gwyliwch beth y'ch chi'n ei wneud!' meddai hi'n sarrug.

'Mae'n ddrwg gen i!' meddai Wncl Jim yn ei lais mawr. 'Gadewch i mi sychu'r bwrdd . . .' Syrthiodd brechdan a hanner pecyn o greision i'r llawr . . .

'Na, mae'n iawn diolch, does dim angen,' meddai'r fenyw. Roedd Wncl Jim yn dal i geisio helpu. 'EWCH O 'MA!' sgrechiodd y fenyw.

Gan roi un ysgydwad arall i'r bwrdd nes bod gweddill y creision yn cwympo ar lawr, cerddodd Wncl Jim draw at Helen Jones.

'Damwain fach,' meddai gan chwerthin. 'Helô, Helen, sut wyt ti?' Rhoddodd ei freichiau amdani i'w chofleidio, a diflannodd Helen Jones o'r golwg yn llwyr.

Chwarddodd Jac. 'Dyw Wncl Jim yn newid dim,' meddai'n dawel wrth Alun. 'Mae e bob amser yn llawn hwyl, ond mae e mor lletchwith rywsut, ac mae pethau'n digwydd iddo – damweiniau bach fel'na . . .'

Chlywodd Alun ddim rhagor, oherwydd tro Jac oedd hi'n awr i ddiflannu ym mreichiau Wncl Jim.

'Dyma fy ffrind Alun, Wncl Jim,' meddai Jac, pan ddaeth yn ôl i'r golwg.

'Haia, Alun,' meddai Wncl Jim gan siglo llaw

Alun nes bron â thynnu'r fraich o'r ysgwydd. 'Dyma Catrin.'

Yn yr holl gythrwfl, doedd Alun ddim wedi sylwi bod merch wedi dilyn Wncl Jim i mewn i'r caffi. Dyfalodd Alun ei bod hi tuag un ar ddeg oed, yr un oed ag ef, ac roedd hi'n hollol wahanol i'w thad ymhob ffordd! Un fach oedd Catrin ac roedd ganddi wallt brown hir. Gwisgai jîns glas a thop pinc â phatrwm arian arno a syllai ei llygaid glas yn dawel a dwys ar y byd o'i chwmpas.

Gwenodd yn swil ar Alun a Jac ac allai Alun ddim peidio â gwenu'n ôl. Gobeithiai y byddai Catrin ac yntau'n dod yn ffrindiau.

Asiant Twm ac Asiant Ffranco

Gorffwys yn dawel yn y car roedd Twm a Ffranco. Roedd Twm wedi mwynhau'r daith, a bu'n hanner cysgu a hanner edrych o'i gwmpas. Wedi'r cyffro cyntaf roedd Ffranco wedi mynd i gysgu'n drwm ar lin Jac, a wnaeth e ddim deffro nes iddyn nhw stopio ym Mhont Abraham. Roedd Alun a Jac wedi mynd â nhw am dro bach a rhoi diod o ddŵr iddyn nhw. Yna roedd Twm a Ffranco wedi gorfod aros yn y car.

Wedi i bawb ddiflannu, achubodd Twm ar ei gyfle i gael sgwrs â Ffranco. 'Gest ti neges oddi wrth Gelert?' holodd.

'Do,' atebodd Ffranco. 'Fe atebais i ar unwaith wrth gwrs, yn cynnig gwneud unrhyw beth allwn i.'

Petai Jac wedi gweld yr olwg ddifrifol oedd ar wyneb y ci bach yr eiliad honno, byddai wedi synnu. Roedd Ffranco bob amser yn llawn bywyd ac yn barod i chwarae, ond roedd e hefyd yn un o asiantau C4. Fel Twm, gwisgai goler glas â botwm coch arno. Newydd ymuno oedd Ffranco, ac roedd yn awyddus iawn i wneud ei ran, ond Twm oedd un o'r asiantau mwyaf dewr a phrofiadol, ac ef oedd arwr Ffranco.

'Atebais innau hefyd,' meddai Twm. 'Ces i neges yn ôl. Roedd Gelert yn dweud bod y Prif Weinidog wedi bod mewn cysylltiad. Mae swyddogion cudd wedi cael gwybodaeth bod rhywun yn bygwth creu llanast yn Sialens Ieuenctid y Byd. Mae'r Prif Weinidog yn gofidio. Dyw e ddim am i unrhyw beth ddifetha'r Sialens nac enw da Cymru.'

Syllodd Twm a Ffranco yn ddifrifol ar ei gilydd.

Yna'n sydyn clywsant sŵn lleisiau Alun a Jac wrth iddyn nhw gerdded yn ôl i'r car. Pan gyrhaeddon nhw, roedd Twm yn gorwedd â'i lygaid ynghau ar y sedd gefn a Ffranco'n neidio lan a lawr yn hapus.

3

Cyrraedd y bwthyn

Ymhen fawr o dro cafodd bagiau Jac ac Alun eu trosglwyddo i gerbyd Wncl Jim, ac roedd Twm a Ffranco a'r bechgyn yn gyfforddus yn y sedd gefn. Yn ffodus, roedd cist car Wncl Jim yn fawr, oherwydd roedd hi'n amlwg mai dull Wncl Jim o bacio oedd taflu popeth yn bendramwnwgl i mewn ar ben ei gilydd.

Fu dim rhaid i Alun ddweud gair yn ystod y siwrnai. Am hanner cyntaf y daith bu Wncl Jim yn sgwrsio â Jac ac yn gofyn am ei fam a'i dad. Roedd hi'n amlwg bod Wncl Jim yn hoff iawn o'i chwaer, Helen Jones, a bu'n adrodd pob math o stracon am eu plentyndod. Roedd hyn yn cymryd tipyn o amser, oherwydd bob tro y byddai'n sôn am atgof hapus byddai Wncl Jim yn pwffian chwerthin, yn anghofio ble roedd e yn ei stori ac yn dechrau o'r dechrau eto!

Ymhen tipyn, blinodd Alun ar sgwrs na allai fod yn rhan ohoni. Yn y siop ym Mhont Abraham, roedd wedi gwario pumpunt ar raglen swyddogol Sialens Ieuenctid y Byd. Gwyddai Alun fod yr wybodaeth i gyd i'w chael ar yr App, ond roedd y rhaglen mor lliwgar a deniadol fel na allai beidio â'i phrynu.

Yn gyntaf edrychodd ar dimau'r ddeg gwlad oedd wedi cymhwyso ar gyfer y Ffeinal, sef Cymru, Ethiopia, Yr Iseldiroedd, Unol Daleithiau America, Awstralia, China, Twrci, De Affrica, Yr Alban a Mecsico. Roedd chwe aelod ymhob tîm – tri dyn a thair merch – a llun o bob aelod yn y rhaglen. Wnaeth Alun ddim edrych yn ofalus ar y rhain – byddai digon o gyfle i wneud hynny eto.

Byddai'r timau i gyd yn cyfarfod â'i gilydd am y tro cyntaf yn seremoni agoriadol Sialens Ieuenctid y Byd ar faes Sioe Genedlaethol Cymru yn Llanelwedd. Yna byddai'r cystadlu'n dechrau. Roedd pedair Sialens, a thudalen arbennig ar gyfer pob un yn y rhaglen. Darllenodd Alun yn ofalus.

Y Sialens gyntaf oedd Sialens y Môr a'r Graig, oedd i'w chynnal yn Llandudno. Roedd tair ras i ddynion a thair i ferched, a byddai un aelod o bob tîm yn cymryd rhan ymhob ras. Byddai'r wlad oedd yn ennill y nifer uchaf o bwyntiau yn y chwe ras yn ennill Tlws y Gogarth.

Yr ail Sialens oedd Sialens y Mwd, ac roedd Alun yn edrych ymlaen yn arw at weld hon. Byddai'n cael ei chynnal yn Llanwrtyd, a doedd Alun ddim yn gallu dychmygu sut y gallai pobl nofio trwy fôr o fwd! Byddai dwy gystadleuaeth, un i ddynion ac un i ferched, a'r tîm buddugol yn ennill Tlws y Gors.

Y drydedd Sialens oedd Sialens y Mynydd, sef rhedeg i gopa Pumlumon Fawr. Byddai hon yn dasg anodd oherwydd roedd y sialens i'w chynnal yn y nos! Unwaith eto roedd dwy ras, un i ddynion ac un i ferched, a byddai'r tîm buddugol yn ennill Tlws Pumlumon.

Yna byddai'r timau i gyd yn teithio i Gaerdydd i gymryd rhan yn y Sialens olaf, sef Sialens y Ddinas. Byddai hon yn cychwyn y tu allan i Ganolfan y Mileniwm, lle byddai'n rhaid i'r timau oresgyn cyfres o rwystrau. Yna bydden nhw'n rhwyfo mewn cyryglau ar hyd afon Taf. Yn olaf, byddai ras ar hyd y ffordd yn gorffen yn Stadiwm y Mileniwm, a'r tîm buddugol yn ennill Tlws y Mileniwm.

Yn dilyn Sialens y Ddinas, cynhelid y seremoni wobrwyo. Roedd gwobr i'r tîm buddugol ac i'r ferch a'r dyn oedd wedi sgorio'r nifer uchaf o bwyntiau. Gobeithiai Alun yn arw y byddai un o'r gwobrau'n dod i Gymru.

Caeodd Alun y rhaglen. Erbyn hyn roedd y sgwrs rhwng Jac ac Wncl Jim wedi dod i ben, a rhyw sŵn udo rhyfedd yn llenwi'r car. Beth yn y byd oedd e? Sylweddolodd Alun fod Wncl Jim wedi dechrau canu. Roedd ganddo lais cryf, ac roedd yn hoff iawn o ganu emynau, yn enwedig rhai trist.

'Canwch gyda fi, da chi,' meddai o bryd i'w gilydd wrth y tri phlentyn, ond yr unig un a geisiodd ymuno oedd Ffranco – dechreuodd hwnnw udo bob tro roedd Wncl Jim yn taro nodyn uchel. Roedd pawb yn falch iawn o glywed Wncl Jim yn dweud o'r diwedd, 'Dyma ni wedi cyrraedd.'

Edrychodd Alun o'i gwmpas â diddordeb. 'Bwthyn' oedd Wncl Jim wedi galw'r lle, ond mewn gwirionedd roedd yn dŷ sylweddol. Roedd balconi pren o flaen ffenestri'r llawr cyntaf, a gallai Alun ddychmygu bod golygfa wych oddi yno dros y dyffryn. Yn y to roedd dwy ffenest arall.

Roedd Twm wedi bod yn cysgu'n drwm trwy gydol y siwrnai, ei ben yn pwyso ar lin Alun, a bu'n rhaid i Alun ei ddeffro ar ôl cyrraedd. Wrth geisio codi wedi siwrnai hir, roedd yr hen gi braidd yn anystwyth.

'Wyt ti'n iawn, Twm?' holodd Catrin yn garedig, gan estyn i lawr i roi mwythau iddo.

Doedd Alun ddim wedi cael cyfle i sgwrsio â hi yn ystod y siwrnai oherwydd roedd Catrin yn eistedd wrth ochr ei thad yn y sedd ffrynt. Sylwodd eto ar ei gwallt brown llyfn a'r ruban glas oedd wedi'i glymu amdano.

'Dw i'n hoffi Twm,' meddai Catrin yn dawel dan wenu. 'Dw i erioed wedi cael ci fy hun.'

'Dw i byth yn mynd i unman heb Twm,' atebodd Alun.

Sylweddolodd nad oedd e'n teimlo'n swil nac yn gwrido wrth siarad â Catrin.

Dyna ddiwedd eu sgwrs am y tro, oherwydd roedd yn rhaid i bawb helpu Wncl Jim i ddadbacio. Am funud neu ddwy methodd agor y drws ffrynt, yna sylweddolodd ei fod yn defnyddio'r allwedd anghywir. O'r diwedd roedd y drws ar agor ac aeth pawb i mewn. Roedd y plant eisiau edrych o gwmpas ar unwaith, ond meddai Wncl Jim, 'Gwell i ni ddod â phopeth i mewn o'r car. Mae tipyn o ddadbacio i'w wneud.'

Ac roedd e yn llygad ei le. Dyna fu cario! Yn gyntaf daeth Alun a Jac â'u bagiau nhw a basgedi'r cŵn i mewn, ac yna helpu Wncl Jim a Catrin i gario'r gweddill. Wrth iddyn nhw

wneud un siwrnai ar ôl y llall i gario'r holl
stwff, rhyfeddodd Alun fwyfwy fod y cyfan
wedi ffitio i mewn i gist y car! Y pethau olaf
oedd tri bocs enfawr yn llawn bwyd, 'Rhag ofn
na fyddwn ni'n mynd i siopa am ddiwrnod neu
ddau,' meddai Wncl Jim.

Roedd y bocsys yn drwm iawn, ond fe
fynnodd Wncl Jim eu cario i mewn ei hun.
Wrth ddod â'r bocs olaf i mewn, baglodd dros
stepen y drws nes bod popeth yn syrthio allan
o'r trydydd bocs ar ben y ddau focs arall.

O ganlyniad, roedd yn rhaid cario'r tuniau a'r pacedi a'r llysiau a'r ffrwythau a phopeth arall i'r gegin fesul eitem. Am sbel, bu pawb yn bustachu'n ôl ac ymlaen ar draws ei gilydd.

'Beth am i ni ffurfio rhes ac estyn popeth o law i law?' awgrymodd Alun.

Wedi hynny roedd pethau'n llawer haws. Safai Alun a Catrin nesaf i'w gilydd yn y rhes, ac erbyn i'r pecyn olaf gael ei storio yn y cypyrddau roedden nhw'n hen ffrindiau.

Yna aeth pawb i edrych o gwmpas y tŷ. Yn y lolfa roedd teledu â sgrin enfawr, ac edrychai'r bechgyn ymlaen yn arw at wylio Sianel y Sialens. Roedd cyfrifiadur yn y gornel hefyd.

'Dyw'r cyfrifiadur ddim yn gweithio,' meddai Wncl Jim. 'Ces i neges gan yr asiant. Mae dwy stafell wely ar y llawr cyntaf,' ychwanegodd. 'Fe wnaiff Catrin a fi ddefnyddio'r rheini. Cewch chi fechgyn rannu'r stafell fawr ar y llawr uchaf. Ewch i'w gweld hi. Dw i'n siŵr y byddwch chi wrth eich bodd.'

Rhedodd Jac ac Alun i fyny'r grisiau i'r atig.

'Waw!' meddai Jac yn gegagored. Roedd y stafell yn enfawr, gyda dau wely ynddi, a nifer o gadeiriau a chypyrddau – ac yn y pen pellaf roedd bwrdd snwcer!

'Edrych, Alun!' gwaeddodd Jac. 'Gallwn ni chwarae snwcer drwy'r nos! Beth am i ni gael gêm nawr?'

Ond roedd Wncl Jim yn galw. 'Fechgyn! Ydych chi'n fy nghlywed i?'

Meddyliodd Alun fod pawb o fewn deng milltir yn gallu clywed, a brysiodd y ddau i lawr y grisiau.

Roedd Catrin a'i thad yn y gegin.

'Ro'n i wedi bwriadu paratoi barbeciw i chi heno,' meddai Wncl Jim, 'ond mae Catrin yn meddwl y byddai'n well ganddi ffa ar dost. Beth amdanoch chi, fechgyn? Hoffech chi farbeciw?'

Safai Catrin y tu ôl i'w thad yn ysgwyd ei phen ac amneidio 'Na' wrth y bechgyn. Doedden nhw ddim yn deall pam, ond meddai'r ddau, 'Bydd ffa pob yn iawn'.

Wrth iddyn nhw baratoi'r bwyd, sibrydodd Catrin wrth Alun, 'Paid byth â gadael i Dad wneud barbeciw. Mae e'n llosgi popeth yn ulw!'

'Hei, beth yw'r gyfrinach, chi'ch dau?' gofynnodd Jac wrth eu gweld yn sibrwd.

'O, ym, dim byd,' meddai Alun gan wenu ar Catrin.

Mwynhaodd pawb y ffa ar dost, er i Wncl Jim lwyddo i dorri'r agorwr tuniau a thynnu bwlyn oddi ar ddrws un o gypyrddau'r gegin wrth baratoi swper.

I bwdin, cafodd pawb ddarn o deisen siocled roedd mam Jac wedi'i gwneud, ac yna cynigiodd Alun y byddai ef a Jac yn golchi'r llestri.

Gwnaeth Alun y golchi, ac wrth aros â'i liain yn ei law i sychu, meddai Jac, 'Rwyt ti a Catrin yn dod yn dipyn o ffrindiau, Alun.'

'Wel,' mwmianodd Alun, 'ydyn, am wn i. Dw i'n ei hoffi hi.'

'Mae hi'n dy hoffi di hefyd, galla i weld hynny,' meddai Jac ac ychwanegodd gan chwerthin, 'Gofala nad wyt ti'n syrthio mewn cariad â hi.'

Gwridodd Alun o glust i glust.

Gelert yn galw

Y noson honno, roedd Twm a Ffranco'n gorwedd yn dawel yn eu basgedi yng nghornel y gegin. Yn sydyn, teimlodd Twm ei goler yn dirgrynu.

'Tonfedd C4. Gelert yn galw Asiant Twm. Gelert yn galw Asiant Twm.'

'Ffranco!' galwodd Twm yn dawel. 'Wyt ti ar ddihun? Mae Gelert yn galw.'

Cododd Ffranco ar unwaith a dod draw at Twm i glywed y neges.

'Asiant Twm yma. Beth yw'r neges? Drosodd.'

'Gelert. Diolch am ymateb i'r alwad frys, gyfaill. Mae angen i bob asiant fod ar wyliadwriaeth oherwydd y bygythiad i'r Sialens. Oes modd i ti deithio i un o'r sialensiau? Mae'n rhaid cael asiantau ymhob lleoliad. Does neb yn gwybod pa bryd fydd y bygythiad yn dod. Drosodd.'

'Asiant Twm. Mae Asiant Ffranco a minnau'n agos at fynydd Pumlumon. Fe wnawn ni gadw gwyliadwriaeth ar Sialens y Mynydd. Drosodd.'

'Gelert. Newyddion da. Dw i'n gwybod y galla i ddibynnu arnoch chi'ch dau. Drosodd ac allan.'

Am eiliad, credodd Twm iddo glywed sŵn ochenaid wedi i Gelert orffen siarad. Safodd Ffranco'n dawel wrth ymyl Twm.

'Roedd Gelert yn swnio'n rhyfedd rywsut,' meddai.

'Mae ganddo lawer o gyfrifoldeb,' atebodd Twm yn dawel. 'Rhaid i ni roi pob help iddo. Mae Gelert yn bennaeth da.'

4

Sianel y Sialens!

Wedi iddyn nhw fynd i'w stafell ar lawr uchaf y tŷ, penderfynodd Alun a Jac na allen nhw fynd i gysgu heb roi cynnig ar y bwrdd snwcer. Doedd yr un ohonyn nhw wedi cael bwrdd snwcer yn ei stafell wely o'r blaen.

'Dw i'n chwaraewr da iawn,' broliodd Jac cyn iddyn nhw gychwyn, ond Alun enillodd y gêm gyntaf. Wedyn, wrth gwrs, roedd Jac yn awyddus i gael gêm arall i brofi mai ef oedd y gorau mewn gwirionedd. Jac enillodd yr ail gêm, ac yna roedd angen gêm arall i benderfynu pwy oedd pencampwr y noson . . . O ganlyniad, roedd hi wedi hanner nos ar y bechgyn yn mynd i'r gwely, a doedd dim sôn amdanyn nhw'n deffro'r bore wedyn.

Roedd Catrin ar ei thraed yn gynnar, a hi agorodd y drws i Twm a Ffranco gael mynd allan. Chwiliodd am y bwyd ci, a rhoi brecwast i'r ddau.

Erbyn hyn roedd Wncl Jim wedi codi a dechrau paratoi brecwast enfawr o gig moch ac wyau i bawb. Roedd yn rhaid iddyn nhw gael wyau wedi'u sgramblo, achos roedd rhai o'r wyau wedi cracio pan ollyngodd Wncl Jim y bocs. Pan oedd popeth yn barod, doedd dim sôn am y bechgyn. Safodd Wncl Jim ar waelod y grisiau a gweiddi, 'BREC-WAST!' nerth ei ben.

Deffrodd Alun yn sydyn a neidio allan o'r gwely. Yn ei ddryswch, anghofiodd nad yn ei stafell wely yn Llety Ceirios oedd e, ac wrth iddo ruthro am y drws syrthiodd dros wely Jac.

'Yyy? Beth . . ?' mwmianodd hwnnw'n ddryslyd.

Pan frysiodd y ddau i mewn i'r gegin bum munud yn ddiweddarach, eisteddai Wncl Jim a Catrin wrth y bwrdd yn yfed coffi. Edrychodd Alun o'i gwmpas am Twm, ac er mawr syndod iddo chymerodd Twm na Ffranco ddim sylw o gwbl ohono ef a Jac. Roedd y ddau'n eistedd wrth draed Catrin ac yn syllu i mewn i'w llygaid.

'Dw i wedi rhoi brecwast i'r cŵn,' meddai Catrin. 'Ydy hynny'n iawn? Roedden nhw'n llwgu.'

'Dyma'ch brecwast chi. Ydy e'n ddigon?' gofynnodd Wncl Jim, gan amneidio at ddau blât enfawr o gig moch, wyau wedi'u sgramblo, madarch, tomatos a thost.

Ar hynny, canodd ffôn symudol Wncl Jim ac aeth i'r lolfa i ateb yr alwad.

Roedd y bechgyn yn dal i fwyta pan ddaeth yn ei ôl, a gwên lydan ar ei wyneb.

'Beth yw'ch cynlluniau chi am heddiw?' gofynnodd.

'Rhaid i ni fynd â'r cŵn am dro, achos roedden nhw yn y car bron trwy'r dydd ddoe,' atebodd Alun.

'A dw i eisiau gweld y fan lle bydd Sialens y Mynydd yn cychwyn,' meddai Jac, 'er mwyn dewis lle da i wylio.'

'Bydd rhagor o dimau'n cyrraedd heddiw,' meddai Alun yn llawn cyffro. 'Allwn ni wylio Sianel y Sialens ar y sgrin fawr yn y lolfa? Alla i ddim credu bod y Sialens yn cychwyn yn go iawn fory,' ychwanegodd.

Dal i wenu roedd Wncl Jim. 'Iawn,' meddai. 'Cewch chi wylio Sianel y Sialens heddiw. Ond fory, mae gen i syrpréis i chi. Ffrind i fi oedd ar y ffôn. Mae ganddo bedwar tocyn sbâr i scremoni agoriadol y Sialens yn Llanelwedd.

Roedd e'n eu cynnig nhw i ni. Hoffech chi fynd
yno? Dyw e ddim yn bell.'

Syllodd y plant arno'n gegagored. Allen nhw
ddim credu'r peth! Roedd cannoedd o bobl
wedi gwneud cais am docynnau i'r seremoni
agoriadol! Am eiliad roedd pawb yn dawel,
yna gwaeddodd Alun a Jac gyda'i gilydd,
'GRÊT!' a rhuthrodd Catrin i gofleidio'i thad.

Gafaelodd hwnnw ynddi a'i chodi oddi ar ei thraed. Roedd Catrin yn gwisgo sliperi blewog, ac wrth i Ffranco weld y sliperi'n codi i'r awyr, meddyliodd fod llygoden neu wiwer yn y stafell a dechreuodd gyfarth a neidio amdanyn nhw. Cipiodd un o'r sliperi a rhedeg allan trwy'r drws.

'Ffranco!' gwaeddodd Jac, a rhedeg ar ei ôl.

Roedd Alun yn chwerthin gormod i wneud dim byd, ac roedd hi'n amlwg o'r sŵn y tu allan fod Jac yn erlid Ffranco dros y lawnt. Yna'n sydyn cerddodd Twm draw at y drws a chyfarth ddwywaith, yn uchel ac yn gadarn. Ar unwaith, rhedodd Ffranco'n ôl i mewn i'r gegin a'r sliper yn ei geg.

Roedd Jac yn dynn ar ei sodlau. 'Ffranco! Rho honna i fi!' rhuodd, er ei fod wedi colli'i wynt yn llwyr. Eisteddodd Ffranco i lawr a gollwng y sliper o'i geg i law Jac.

Roedd Alun ar dân eisiau gwybod mwy am y trefniadau ar gyfer y seremoni agoriadol. Dechreuodd holi Wncl Jim yn eiddgar.

'Pryd mae'r seremoni'n cychwyn?' gofynnodd. 'Allwn ni fynd yn gynnar er mwyn gwneud yn siŵr ein bod ni'n gweld popeth?'

'Rhaid i mi ffonio fy ffrind yn ôl i gael y

manylion,' atebodd Wncl Jim gan wenu, ac allan ag ef.

Dyna drafod fu wedyn! Edrychai pawb ymlaen yn eiddgar, ac ar ôl iddyn nhw olchi'r llestri brecwast aeth y tri phlentyn â'r cŵn am dro, yna setlo o flaen y sgrin fawr i wylio'r newyddion diweddaraf.

Heddiw, roedd Rhion Wiliam yn gwisgo crys-T arbennig y Sialens ac arno roedd logo'r Sialens – SIByd Cymru.

'Mae'r rhan fwyaf o'r timau wedi cyrraedd erbyn hyn,' meddai'n gyffrous wrth i'r sgrin ddangos lluniau o dîm yr Iseldiroedd yn camu oddi ar y trên yn Llanelli. Rhestrodd Rhion Wiliam y sêr yn eu plith.

'Mae Fanny de Jong yn athletwraig wych ac mae hi'n dda am hwylio hefyd, ac mae Daaf Visser wedi bod yn cystadlu dros yr Iseldiroedd ers blynyddoedd. Dyma'i gyfle olaf i ennill gwobr dros ei wlad yn y Sialens.' Dangoswyd llun o Daaf Visser ar y sgrin. Roedd ganddo wallt golau, ac fel aelodau eraill tîm yr Iseldiroedd gwisgai dracwisg oren. 'Mae'r tîm yn defnyddio cyfleusterau ymarfer tîm rygbi'r Scarlets,' ychwanegodd Rhion.

Yna dangoswyd llun o dîm China, a oedd yn

aros ym Machynlleth, wrth iddyn nhw ymweld â Chanolfan Owain Glyndŵr. Gwisgai'r rhain gotiau coch a gwyn a throwsusau coch tywyll, ac edrychent yn heini ac yn hyderus. 'Dyma gapten y tîm, Huang Enlai,' meddai Rhion Wiliam, 'ac wrth ei ochr mae un o aelodau mwyaf addawol tîm y merched, Li Bao.' Canolbwyntiodd y camera ar Li Bao a Huang Enlai, a oedd erbyn hyn wedi diosg ei gôt goch a gwyn.

'Ew, edrychwch ar gyhyrau ei freichiau!' meddai Jac mewn edmygedd.

Roedd gan Li Bao wallt tywyll, a gwenai'n siriol. 'Dw i'n hoffi golwg Li Bao – dw i'n teimlo y gallai hi fod yn ffrind, rywsut,' meddai Catrin.

Newidiodd y lluniau eto, ac aeth Rhion Wiliam yn ei flaen. 'Neithiwr, teithiodd tîm yr Unol Daleithiau o'u canolfan yn Aberystwyth i ymweld â Stadiwm y Mileniwm yng Nghaerdydd.' Gwelwyd llun o'r Stadiwm, a thîm yr Unol Daleithiau'n cerdded i mewn gan syllu o'u cwmpas. Gwisgai'r rhain siacedi coch a glas, ac roedd baner America wedi'i brodio'n amlwg ar gefn siaced pawb.

'Mae hwn yn dîm cryf,' meddai Rhion Wiliam. 'Tîm yr Unol Daleithiau enillodd y Sialens ddiwethaf ym Mecsico, ac roedd

Johnson Dwight yn eu plith. Ef yw'r unig aelod o'r tîm buddugol sy'n cystadlu eto y tro hwn.'

Dyn du oedd Johnson Dwight, dyn cadarn a chyhyrog, a gwyddai Alun nad oedd neb cryfach nag e yn y byd.

Symudodd y camera at ferch â gwallt golau a safai wrth ei ochr. Roedd Johnson Dwight yn dal iawn, ac wrth ei ochr edrychai hon yn fach ac yn eiddil. 'Dyma Sara Santorina,' meddai Rhion Wiliam.

'Dw i wedi clywed amdani hi,' meddai Catrin yn sydyn. 'Ei thad hi yw un o'r dynion mwyaf cyfoethog yn America. Maen nhw'n dweud ei bod hi'n rhedwraig wych.'

Edrychodd Alun ar y ferch. 'Hoffwn i petai fy nhad i'n un o'r dynion cyfoethocaf yn y wlad,' meddai gan chwerthin.

Trodd Catrin ato. 'Beth fyddet ti'n hoffi iddo'i roi i ti?' gofynnodd.

'O, ym . . . cae pêl-droed i mi fy hun, gwyliau yn y Caribî, awyren fy hun a chael dysgu ei hedfan hi. Beth amdanat ti, Jac?'

Ond doedd Jac ddim yn gwrando. Roedd e'n dal i syllu ar Sara Santorina.

'Hei, Jac,' chwarddodd Alun, 'rwyt ti'n amlwg yn ffansïo Sara Santorina!'

Gwridodd Jac.

'Edrychwch ar honna!' meddai Catrin yn sydyn.

Sylwodd y tri phlentyn ar ferch oedd yn cerdded ychydig gamau y tu ôl i Sara Santorina. Gwyddai Alun nad oedd hi'n aelod o'r tîm – doedd hi ddim yn cerdded yn hamddenol gan edrych o'i chwmpas yn llawen fel y gwnâi'r lleill. Yn hytrach roedd hi'n hanner-sleifio, fel pe bai'n well ganddi gerdded yn y tywyllwch yn hytrach nag yng ngolau dydd. Siaradai i mewn i ffôn symudol, a hwnnw wedi'i ddal yn agos iawn at ei cheg, a phan sylweddolodd fod y dyn camera'n agosáu ati trodd ei chefn yn gyflym. Wnaeth Rhion Wiliam ddim rhoi unrhyw fanylion amdani.

'Hm, dw i ddim yn hoffi golwg honna,' meddai Catrin.

'Hwyrach mai un o'r hyfforddwyr yw hi,' atebodd Alun.

Newidiodd y lluniau eto, ac aeth Rhion Wiliam ymlaen i ddangos tîm Ethiopia. Roedden nhw wedi cyrraedd ers wythnos ac yn aros yng Ngwynedd er mwyn manteisio ar y cyfle i redeg ym mynyddoedd Eryri bob dydd.

O'r deg tîm oedd yn cymryd rhan, roedd naw

ohonyn nhw bellach wedi ymddangos ar y rhaglen.

'Ac yn awr,' meddai Rhion Wiliam, 'fe awn ni at dîm Cymru. Erbyn hyn maen nhw wedi gorffen ymarfer ac wedi ymgasglu mewn gwesty ar gyrion Llanelwedd. Ychydig oriau'n ôl fe es i i'w gweld, a chael sgwrs fer â'r capten, Rhys Llwyd Elis.'

Daeth wyneb Rhys Llwyd Elis ar y sgrin. Gwyddai Alun ei fod yn gystadleuydd cryf. Deallodd wrth ei weld yn ateb y cwestiynau'n gadarn ac yn bendant ei fod hefyd yn ddewis ardderchog i arwain tîm Cymru.

Ar ddiwedd y sgwrs, edrychodd Rhys Llwyd Elis yn syth i mewn i'r camera. 'Fe wnawn ni'n gorau glas i ennill y Sialens,' meddai. 'Rydyn ni'n gobeithio y byddwch chi i gyd yn ein cefnogi ni i'r carn.'

Clywyd 'Hwrê!' fawr o gyfeiriad aelodau'r tîm a safai y tu ôl iddo, a rhywsut wrth edrych ar y llygaid du, treiddgar, cafodd Jac a Catrin ac Alun eu hunain yn bloeddio gyda nhw.

'Fe fyddwn ni'n dod i dy weld di fory,' gwaeddodd Jac wrth y sgrin.

Am weddill y dydd, roedd y plant mor gynhyrfus fel na allen nhw ganolbwyntio ar ddim. Yn y prynhawn aethon nhw â'r cŵn am dro arall ac aeth Wncl Jim gyda nhw. Wrth iddyn nhw gerdded, sylwodd Catrin ar adeiladau heb fod ymhell i ffwrdd.

'Beth sy fan'na?' gofynnodd i'w thad.

'Dw i ddim yn siŵr,' atebodd yntau. 'Rhaid i fi fynd draw i gael golwg ar y lle.'

Roedd rhyw dinc reit ddifrifol yn ei lais. Trodd Alun i edrych arno'n sydyn, a gwelodd olwg bryderus ar ei wyneb. Doedd Alun ddim yn deall. A oedd rhywbeth yn codi ofn ar Wncl Jim?

Galw Gelert

'Tonfedd C4. Asiant Ffranco'n galw Gelert. Asiant Ffranco'n galw Gelert.'

'Gelert. Dw i'n gwrando. Drosodd.'

'Asiant Ffranco. Mae Asiant Twm a fi wedi cael cyfle i fynd i seremoni agoriadol Sialens Ieuenctid y Byd fory yn Llanelwedd. Drosodd.'

'Gelert. Newyddion da iawn. Gorau oll os bydd cymaint o asiantau ag sy'n bosib yno. Bydd Asiant Harri ac Asiant Elen yno hefyd. Dydyn ni ddim yn gwybod beth yw cynlluniau'r gelyn. Mae'n bur debyg bydd e'n ceisio tarfu ar y seremoni rywsut. Byddwch ar wyliadwriaeth. Pob lwc. Drosodd.'

'Asiant Ffranco. Diolch. Drosodd ac allan.'

Trodd Ffranco'n gynhyrfus at Twm. 'Mae hon yn ymgyrch fawr,' meddai. 'Dyma gyfle i mi brofi 'mod i'n asiant da!'

Gwenodd Twm, ond roedd golwg ofidus yn ei lygaid.

'Rhaid i ni fod yn ofalus,' meddai'n ddifrifol. 'Mae'n anodd ymladd gelyn anweledig. Dydyn ni ddim yn gwybod o ble mae'r perygl yn dod, na hyd yn oed pwy sy mewn perygl. Rhaid i ni gadw'n llygaid ar agor, a gwylio popeth yn ofalus.'

5

Mynd i Lanelwedd!

Y bore wedyn roedd y bwthyn yn ferw gwyllt o brysurdeb. Cododd Alun a Jac gyda'r wawr, ac roedden nhw wrth eu bodd ei bod hi'n fore braf, a'r awyr yn glir. Erbyn hanner awr wedi wyth roedd pawb yn barod ac yn ysu am gael cychwyn. Gwisgai'r ddau fachgen grysau-T arbennig y Sialens â'r logo SIByd Cymru a bathodyn Cymru arnyn nhw, ond gwisgai Catrin dop coch, gwyn a gwyrdd a jîns gwyn.

'Dw i ddim yn siŵr a fyddai'n ddoeth i ni fynd â'r cŵn,' meddai Wncl Jim. 'Falle dylen nhw aros gartre.'

Ond pan agorodd e ddrws y car, Twm oedd y cyntaf i neidio i mewn. Cariodd Alun y ci yn ôl i'r tŷ a'i roi yn ei fasged. 'Aros!' gorchmynnodd yn bendant, ond cyn gynted ag y trodd Alun ei gefn, rhedodd Twm i'r car eto a'r tro hwn roedd Ffranco'n dynn ar ei sodlau.

'Twm!' meddai Alun yn flin, ond chwerthin wnaeth Wncl Jim.

'Gadewch iddyn nhw ddod,' meddai. 'Mae'n rhaid bod Twm a Ffranco mor awyddus â ni i weld y Sialens.'

Doedd y siwrnai o odre Pumlumon i Lanelwedd ddim yn bell. Wrth iddyn nhw nesáu at faes Sioe Genedlaethol Cymru roedd llif y traffig yn cynyddu, ac am rai milltiroedd roedden nhw'n symud yn araf mewn ciw hir o geir, a llawer o'r rheiny'n chwifio baneri. Baner Cymru oedd ar y mwyafrif, wrth gwrs, ond sylwodd Alun ar sawl baner sêr a streipiau'r Unol Daleithiau, ac roedd un faner goch â lleuad newydd a seren arni. Edrychodd Catrin yn rhaglen y Sialens i weld baner pa wlad oedd hi.

'Baner Twrci yw honna,' meddai.

Bu'n rhaid parcio'r car mewn cae gyda channoedd o geir eraill, a sefyll mewn ciw hir cyn mynd i mewn. Roedd swyddogion diogelwch yn archwilio'r tocynnau'n ofalus ac yn cadw llygad barcud ar bawb.

'Dylech chi fod wedi gadael y rhain yn y car,' meddai un yn swta pan welodd y cŵn.

'Mae'n rhy boeth,' meddai Alun a Jac gyda'i

gilydd. 'Fe wnawn ni'n siŵr eu bod nhw dan reolaeth,' ychwanegodd Alun.

Llwyddodd y plant i gael lle da yn ymyl y fynedfa i'r prif gylch, lle bydden nhw'n gallu gweld pawb oedd yn mynd i mewn ac allan. Roedd hi'n ddiwrnod braf, a'r awel ysgafn yn golygu nad oedden nhw'n rhy boeth. Eisteddai Twm a Ffranco'n dawel ar y glaswellt wrth eu traed, a gofalodd y bechgyn eu bod mewn lle diogel.

Yn sydyn, canodd ffôn Wncl Jim. Symudodd i ffwrdd gam neu ddau i'w ateb.

'Arhoswch fan hyn am eiliad,' meddai wrthyn nhw ymhen ychydig. 'Mae gen i rywbeth pwysig i'w wneud. Fydda i ddim yn hir.' Ac ar y gair, diflannodd.

'Ble mae Dad wedi mynd?' holodd Catrin yn bryderus. 'Mae cannoedd o bobl yma. Bydd yn anodd iawn iddo ddod o hyd i ni eto.'

'Paid â phoeni,' meddai Alun yn galonnog, gan roi ei fraich am ei hysgwydd, 'fe fydd popeth yn iawn.'

Y tu ôl i gefn Catrin, lledwenodd Jac ar Alun a theimlodd yntau ei fochau'n gwrido.

Yn sydyn, roedd y seremoni ar fin cychwyn ac anghofiodd pawb am Wncl Jim a phopeth arall. Yn dilyn y ffanffer a chwaraewyd gan ddau drwmpedwr, gwelodd y plant yr orymdaith yn nesáu. Ar y blaen cerddai'r Prif Weinidog ac enwogion o fyd chwaraeon y gwledydd oedd yn cymryd rhan.

Dechreuodd y dyrfa weiddi a churo dwylo'n frwd.

'Drychwch!' meddai Jac. 'Dacw gapten tîm rygbi Cymru . . . a'r ferch 'na enillodd fedal yn y Gêmau Olympaidd.'

Dilynwyd y bobl bwysig gan aelodau'r timau, a chapten pob tîm yn cario baner y wlad. Yn gyntaf daeth tîm Awstralia, â Charlene Allambie yn eu harwain. Gwisgai pob aelod dracwisg werdd ac aur, ac edrychent yn hyderus a balch wrth wenu ac edrych o gwmpas.

'Ew, mae'r rheina'n edrych yn ffit,' sibrydodd Jac yng nghlust Alun.

Dilynwyd hwy gan dîm yr Alban yn eu gwisgoedd glas tywyll. Conan Munro oedd yn eu harwain nhw; syllai'n syth o'i flaen heb edrych i'r naill ochr na'r llall, a golwg benderfynol ar ei wyneb.

Ymdeithiodd y timau eraill un ar ôl y llall. Johnson Dwight oedd yn arwain tîm yr Unol Daleithiau, wrth gwrs, ac edmygai pawb ei

gyhyrau cadarn.
Y tu ôl iddo, gydag
aelodau eraill y tîm,
cerddai Sara Santorina.
Meddyliodd Alun ei bod hi'n edrych yn fwy
eiddil na'r gweddill rywsut, er y gwyddai ei
bod yn rhedwraig o fri. Taflodd gipolwg ar
Jac. Roedd hwnnw'n syllu arni'n gegagored, a
rhoddodd Alun bwniad a winc iddo. Tro Jac
oedd hi nawr i wrido at fôn ei wallt.

Aeth tîm Ethiopia heibio, gydag Amira Dabir
yn eu harwain. Gwyddai Alun mai rhedeg ras
y farathon oedd arbenigedd y tîm hwn, ac
edrychent yn falch iawn yn eu gwisgoedd coch,
gwyrdd a melyn.

Yna daeth bonllef o weiddi a chymeradwyo

wrth i dîm Cymru ddod i'r golwg, a Rhys Llwyd Elis ar y blaen. Cerddai'n osgeiddig gan ddal y faner yn gadarn, a chwifiai'r ddraig goch yn ysgafn yn yr awel. Roedd gwên lydan ar wynebau ei gyd-aelodau, ond syllai Rhys Llwyd Elis yn syth o'i flaen heb edrych ar neb.

Gobeithio nad yw pobl Cymru'n rhoi gormod o bwysau arno i ennill, meddyliodd Alun wrtho'i hun.

Ymgasglodd y timau i gyd yn y Cylch Mawr gan wynebu'r eisteddle, oedd yn llawn o bobl bwysig o'r gwledydd oedd yn cymryd rhan.

Gwnaeth y Prif Weinidog araith fer, ac yna cyflwynwyd y timau i'r dyrfa. Roedd y trefnwyr wedi gofalu bod baneri pob gwlad yn ymddangos yng nghanol y dyrfa ond, wrth gwrs, y ddraig goch oedd yn y mwyafrif o bell ffordd a chafodd tîm Cymru gymeradwyaeth uchel a hir.

Yn sydyn, sylweddolodd Alun fod Twm yn anesmwytho. Plygodd i lawr ato.

'Eistedd yn dawel, Twm,' meddai wrtho. 'Fe awn ni am dro ar ôl y seremoni.'

Sylweddolodd fod Twm yn gwneud sŵn chwyrnu'n ddwfn yn ei wddw. Beth yn y byd oedd yn bod arno? Yna rhoddodd Ffranco un cyfarthiad uchel.

'Bydd dawel!' siarsiodd Jac ef ar unwaith.

Edrychodd Alun o'i gwmpas. Beth oedd yn poeni'r cŵn? Roedd tyrfa fawr yn gwylio'r seremoni, a llawer ohonyn nhw'n gweiddi a chymeradwyo'r timau. Ond roedd Twm yn syllu i gyfeiriad y fynedfa i mewn i'r cylch. Yn sydyn, sylwodd Alun ar ddyn nad oedd wedi'i weld o'r blaen. Dyn byr oedd e, ac roedd ganddo wallt tywyll. Yn wahanol i bawb arall, safai'n hollol lonydd heb gymeradwyo neb. Gwisgai siwmper dywyll a siaced drosti, er ei bod hi'n ddiwrnod poeth. Syllai'n galed i gyfeiriad y timau. Ceisiodd Alun ddyfalu ar bwy roedd e'n edrych, ond yn sydyn roedd fel petai'r dyn wedi synhwyro bod Alun yn ei wylio. Taflodd gipolwg cas i gyfeiriad Alun cyn camu'n ôl yn gyflym i ganol y dyrfa.

Tawelodd Twm a Ffranco, ac erbyn hyn roedd y seremoni agoriadol bron â gorffen.

'Gallwn ni wylio'r cyfan ar y teledu heno,' meddai Jac yng nghlust Alun. 'Hwyrach y byddwn ninnau ar y teledu!'

Cafwyd ffanffer arall gan y trwmpedwyr i gau'r seremoni, ac fe ganwyd 'Hen wlad fy nhadau'. Doedd Alun erioed wedi clywed yr anthem yn cael ei chanu â'r fath arddeliad, a sylwodd wrth wylio'r sgrin fawr fod dagrau yn llygaid rhai o aelodau tîm Cymru.

Wrth i'r orymdaith gerdded heibio iddyn nhw ar eu ffordd allan, cafodd y plant olwg agos unwaith eto ar y cystadleuwyr. Y tro hwn, tîm Cymru oedd yn arwain, a syllodd Catrin ar Rhys Llwyd Elis a'i llygaid yn disgleirio. Teimlodd Alun bigyn o genfigen. Pan fydda i'n hŷn, meddyliodd, hoffwn i gymryd rhan yn y Sialens.

Cerddodd y timau heibio fesul un. Roedd pobl yn ceisio gofyn i rai cystadleuwyr am eu llofnod, ond ffurfiodd y staff diogelwch ddwy res gadarn un bob ochr i'r orymdaith a rhwystro neb rhag mynd yn rhy agos. Y tîm olaf i fynd allan oedd yr Unol Daleithiau. Wrth iddyn nhw agosáu, winciodd Alun ar Jac, ond y tro hwn roedd ei holl sylw ar Johnson Dwight a baner y sêr a'r streipiau.

Gwelodd Alun fod Sara Santorina'n cerdded ychydig gamau ar ôl gweddill y tîm. Gan fod y swyddogion diogelwch yn symud gyda'r timau, roedd Sara bron â chael ei gadael ar ôl. Yn sydyn rhuthrodd dyn allan o'r gynulleidfa tuag ati a thaflu rhyw hylif coch drosti. Gwaed neu inc oedd e? Gwelodd Alun mai'r dyn roedd wedi sylwi arno ynghynt, yn y siwmper ddu a'r siaced, oedd wedi taflu'r hylif! Beth yn y byd oedd e'n ei wneud?

Sgrechiodd Sara. Trodd y swyddogion diogelwch i edrych yn ôl, a rhuthro ati ar unwaith wrth i'r dyn geisio dianc i ganol y dyrfa. Teimlodd Alun blwc ar dennyn Twm a chollodd ei afael ynddo. Rhedodd Twm at y dyn a neidio amdano! Dechreuodd Ffranco gyfarth yn uchel a chynhyrfus a neidiodd yntau o flaen Sara Santorina, fel petai'n ceisio'i hamddiffyn. Gafaelodd Twm yn nhrowsus y dyn a'i ddal yn ôl am eiliad gan roi digon o amser i'r staff diogelwch gyrraedd.

WFF
WFF

'Hei, mêt, dwyt ti ddim yn mynd i unman,' meddai un o'r swyddogion – merch dal â radio yn ei llaw – wrth y dyn. Ymhen dim roedd dau o'i chydweithwyr yn gafael yn dynn ynddo ac yn ei arwain i ffwrdd. Roedd yr orymdaith wedi symud ymlaen, ond safai aelodau tîm yr Unol Daleithiau o amgylch Sara Santorina, a golwg bryderus ar eu hwynebau.

'Wyt ti'n iawn?' gofynnodd Johnson Dwight iddi, cyn troi'n gynddeiriog at y swyddog a gweiddi fel taran, 'Pam na wnaethoch chi ofalu amdani? Roedden ni'n disgwyl gwell!'

'Mae'n ddrwg gen i, syr,' meddai honno a'i

hwyneb yn fflamgoch. 'Wnaiff hyn ddim digwydd eto.'

'Mae popeth yn iawn,' meddai Sara Santorina. 'Diolch yn fawr i ti, gi bach!' meddai wrth Ffranco, gan blygu i lawr i roi mwythau iddo. Roedd hi'n welw, ond ceisiodd wenu'n ddewr.

Symudodd yr Americanwyr at yr allanfa, â byddin o swyddogion diogelwch o'u cwmpas.

Erbyn hyn roedd Alun a Jac wedi cael gafael yn nhenynnau'r cŵn, ac yn mwytho'r ddau.

'Da iawn, Twm a Ffranco!' meddai Catrin wrthyn nhw. 'Rydych chi'n haeddu clamp o asgwrn yr un heno am fod mor ddewr!'

Eisteddai Twm yn dawel, fel pe bai dim byd anghyffredin wedi digwydd, ond roedd Ffranco'n neidio o'i gwmpas yn wyllt. Doedd neb yn siŵr ble i fynd nesaf, nes iddyn nhw glywed llais cyfarwydd y tu ôl iddyn nhw.

'Haia, blant! On'd oedd y seremoni'n wych?'

Roedd Wncl Jim wedi dod 'nôl a gwenai'n braf ar bawb. Doedd e ddim fel petai'n sylweddoli bod unrhyw beth o'i le.

'Ble fuest ti, Dad?' holodd Catrin. 'Dylet ti fod wedi gweld mor ddewr oedd Twm a Ffranco!'

Doedd Wncl Jim ddim fel petai wedi clywed. 'Beth am fynd i gael bwyd?' meddai. 'Mae stondin draw fan'na'n gwerthu byrgyrs cig oen blasus yr olwg. Ac ar ôl cinio, dw i eisiau hufen iâ mawr!'

Roedd meddwl Alun yn chwyrlïo. Beth yn union oedd wedi digwydd? Pwy oedd y dyn yn y siwmper ddu? Oedd Sara Santorina mewn perygl? Gwelodd fod Jac yn edrych yn bryderus hefyd, ond doedd dim amser i drafod unrhyw beth ar hyn o bryd. Roedd Wncl Jim yn brasgamu yn ei flaen a doedd Alun ddim eisiau cael ei adael ar ôl. Bydd cyfle i ni gael sgwrs cyn mynd i gysgu heno, meddyliodd.

Roedd y byrgyrs cig oen yn flasus, ac ar ôl cinio fe fuon nhw'n crwydro o gwmpas y stondinau oedd yn gwerthu pob math o nwyddau o'r gwledydd oedd yn cymryd rhan. Prynodd Jac het gowboi oddi ar stondin nwyddau Americanaidd, ac roedd Alun wrth ei fodd pan welodd fwmerang ar stondin nwyddau o Awstralia. Bu Catrin yn petruso'n hir o flaen stondin gemwaith o Fecsico, ond o'r diwedd prynodd gadwyn ysgafn o fwclis lliwgar. Roedd yna freichled o'r un mwclis hefyd, ond doedd gan Catrin ddim digon o arian i'w phrynu. Wedi iddi symud ymlaen, aeth Alun at yr un stondin heb yn wybod iddi a phrynu'r freichled. Cadwodd hi'n ddiogel yn ei boced. A beth am Wncl Jim? Penderfynodd e brynu het sombrero enfawr oddi ar un o stondinau Mecsico, a bu'n ei gwisgo trwy'r prynhawn!

Roedd hi'n hwyr pan gychwynnon nhw adre, a phenderfynodd Wncl Jim stopio mewn bwyty ar y ffordd adre i gael swper, gan adael Twm a Ffranco yn y car.

Galw Gelert

Cyn gynted ag y diflannodd Wncl Jim a'r plant i mewn i'r bwyty, aeth Twm ati i gysylltu â Gelert.

'Tonfedd C4. Asiant Twm yn galw Gelert. Asiant Twm yn galw Gelert.'

'Gelert. Dw i'n gwrando. Drosodd.'

'Asiant Twm. Dyma fy adroddiad i ac Asiant Ffranco ar seremoni agoriadol y Sialens heddiw. Ceisiodd dyn daflu hylif coch dros Sara Santorina. Drosodd.'

'Gelert. Fe glywais i am hyn. Llongyfarchiadau i ti ac Asiant Ffranco am fod yn effro. Drosodd.'

'Asiant Twm. Dydyn ni ddim yn deall. Beth oedd bwriad y dyn? Pwy yw e?'

'Gelert. Dw i'n dal i aros am wybodaeth. Mae'r dyn yn y ddalfa'n cael ei holi ar hyn o bryd. Yn fy marn i, rhybudd oedd hwn – rhybudd yn bygwth trychineb yn ystod y Sialens, pan fo llygaid y byd i gyd ar Gymru. Mae'r Americanwyr eisoes wedi gwneud cwyn swyddogol. Bydd gen i fwy o wybodaeth maes o law. Fe wna i gysylltu eto fory. Drosodd ac allan.'

6

Ffynnon y Benglog

Roedd Alun wedi bwriadu trafod digwydd-iadau'r dydd gyda Jac y noson honno, ond roedd y ddau wedi blino gormod. Cwympodd y ddau i gysgu ar unwaith, ac roedden nhw'n dal i gysgu fore trannoeth pan ganodd ffôn Jac.

Ymbalfalodd amdano a mwmian, 'Ym, helô . . .'

Ei fam oedd ar y ffôn. 'Haia, Jac,' meddai. 'Dwyt ti ddim yn dal i gysgu, wyt ti? Ffonio ydw i i ddweud 'mod i wedi dy weld di ar y teledu neithiwr!'

'Ar y teledu? Fi?'

'Gwylio'r seremoni yn Llanelwedd ddoe o'n i, ac roedden nhw'n dangos y timau'n cerdded i mewn. A dyna lle roeddet ti'n eu gwylio nhw! Do'n i ddim yn gwybod eich bod chi'n mynd yno! Wnest ti fwynhau?'

Erbyn hyn roedd Jac wedi dod ato'i hun, ac adroddodd holl hanes y dydd i'w fam. Erbyn iddo orffen ei sgwrs roedd Alun wedi deffro, felly cododd y ddau fachgen a mynd i lawr y grisiau. Roedd Twm a Ffranco'n disgwyl yn eiddgar amdanyn nhw, ac aeth Jac â'r cŵn allan i'r ardd tra bod Alun yn paratoi bwyd iddyn nhw. Doedd dim sôn am Wncl Jim a Catrin, a phenderfynodd y bechgyn fwyta'u brecwast.

'Roedd Mam wedi'n gweld ni ar y teledu,' meddai Jac. 'Beth am fynd i weld a ydyn ni ar Sianel y Sialens?'

Aeth y ddau i'r lolfa, a Twm a Ffranco yn eu dilyn. Eisteddodd y pedwar o flaen y sgrin fawr ac ymddangosodd wyneb brwdfrydig Rhion Wiliam yn cyflwyno rhaglen o uchafbwyntiau'r seremoni agoriadol.

Unwaith eto clywson nhw'r ffanffer a gweld y timau'n ymdeithio i mewn i'r cylch. Cawson nhw gip ar Catrin a Jac yn curo dwylo a gweiddi 'Hwrê!', yna symudodd y camera i gyfeiriad arall cyn bod Alun yn dod i mewn i'r llun.

Dyma pryd welais i'r dyn redodd at Sara Santorina, meddyliodd Alun yn sydyn. Tybed alla i ei weld e yn y dyrfa? Ceisiodd edrych yn ofalus ar bawb oedd yng nghefndir y lluniau.

Roedd y camera'n canolbwyntio'n bennaf ar y timau yng nghanol y cylch mawr, ond yna daeth yn amser iddyn nhw ymdeithio allan. Yn sydyn, gwaeddodd Alun wrth Jac, 'Stopia'r llun yn fanna!'

Stryffagliodd Jac am eiliad i ddod o hyd i'r botwm cywir, ond o'r diwedd llwyddodd i ddal y llun yn llonydd.

'Edrych!' meddai Alun.

Roedd tîm America'n nesáu at yr allanfa, a gwelwyd llun da o Alun yn curo dwylo a gwenu, a Twm yn swatio wrth ei draed. Syllu'n gegagored ar Sara Santorina wnâi Jac, ond doedd dim amser gan Alun i wneud hwyl am ei ben, oherwydd ar gwr y dyrfa yn un cornel o'r llun safai'r dyn â'r gwallt tywyll. Roedd menyw'n sefyll wrth ei ymyl, ac roedd Alun yn siŵr ei fod wedi'i gweld hi o'r blaen yn rhywle. Ceisiodd ddyfalu am eiliad – yna sylweddolodd mai hon oedd y ferch roedd Catrin wedi sylwi arni'n ymddwyn yn od gyda thîm America yn Stadiwm y Mileniwm. Roedd Alun wedi meddwl ar y pryd mai un o'r hyfforddwyr oedd hi.

Pwysodd Jac y botwm eto ac aeth y seremoni yn ei blaen. Ymdeithiodd y timau allan o'r cylch, a daeth y rhaglen uchafbwyntiau i ben.

'Cymru am byth, a Chymru am y Sialens!' meddai Rhion Wiliam, ond soniodd e 'run gair am y dyn oedd wedi ymosod ar Sara Santorina.

Edrychodd y bechgyn ar ei gilydd. 'Peth od na fydden nhw wedi sôn am y dihiryn,' meddai Jac.

'Falle nad ydyn nhw eisiau tynnu sylw at y peth,' meddai Alun. 'Rhag ofn y bydd pobl drwy'r byd yn meddwl nad yw Cymru'n gallu cynnal digwyddiadau mawr fel y Sialens.'

'Tybed beth yw hanes y dyn erbyn hyn?' meddai Jac. 'Gobeithio na fydd unrhyw beth arall yn mynd o'i le.'

'Pam roedd y ferch yna'n sefyll gydag e?' meddai Alun.

Yn sydyn, daeth llais o'r tu ôl iddo, 'Pa ferch?' Roedd Catrin wedi dod i mewn heb yn wybod iddyn nhw. Gwisgai'r sliperi brown blewog unwaith eto, a llygadodd Ffranco nhw ar unwaith.

'Ffranco!' meddai Jac mewn llais bygythiol, a gorweddodd Ffranco i lawr gan ddal i gadw llygad slei ar y creaduriaid blewog oedd am draed Catrin!

Eglurodd Alun beth oedden nhw wedi'i weld.

'Dyna beth od,' meddai Catrin yn ddifrifol,

'ro'n i'n meddwl ar y pryd bod y ferch yna'n edrych yn amheus.'

'BORE DA, BAWB! CYMRU AM BYTH A CHYMRU AM Y SIALENS!' Neidiodd pawb mewn braw. Wncl Jim oedd yno!

'Glywaist ti beth ddywedodd Alun, Dad?' meddai Catrin wrtho, a bu'n rhaid i Alun ailadrodd ei stori. Ond doedd dim llawer o ddiddordeb gan Wncl Jim.

'Hwyrach mai cyd-ddigwyddiad oedd e,' meddai. 'Dw i'n mynd i gael brecwast. Dw i bron â llwgu!'

Tra oedd Wncl Jim yn bwyta, gofynnodd i'r plant sut roedden nhw'n bwriadu treulio'r dydd.

'Hoffwn i fynd â Twm am dro hir,' meddai Alun. 'Ro'n i'n meddwl mynd draw at y fferm yna'n groes i'r cwm.'

'Fe awn ni i gyd,' meddai Wncl Jim ar unwaith. 'Dw i wrth fy modd yn mynd am dro yn y wlad. OES GAFR ETO . . ?' Canodd yn uchel nes gwneud i bawb neidio eto.

Roedd hi'n ddiwrnod braf, ac ymhen tipyn cychwynnon nhw allan gydag Wncl Jim yn gwisgo'i het sombrero unwaith eto. Roedd

Catrin wedi awgrymu eu bod nhw'n mynd â phicnic gyda nhw, a chariai pawb rycsac ar eu cefnau'n cynnwys digon o ddanteithion i fwydo byddin!

Roedd y fferm yn bellach nag oedden nhw wedi'i feddwl, ond roedd hi'n daith braf ar hyd lôn fach gul a blodau gwyllt yn tyfu bob ochr iddi. O'r diwedd gwelsant y fferm o'u blaenau. Ar y glwyd hongiai arwydd yn dweud, 'Ffynnon y Benglog – Merlota a Beicio Cwad'. Roedd sawl merlyn yn pori mewn cae cyfagos.

'Hei,' meddai Catrin yn frwdfrydig, 'hoffwn i fynd i ferlota. Dw i wrth fy modd â cheffylau.'

'Beth am fynd i mewn i holi?' meddai Wncl Jim gan wenu. Agorodd y glwyd a cherdded i mewn i'r buarth. 'Helô!' galwodd. 'Oes rhywun gartre?'

Gosododd Alun a Jac y cŵn ar eu tennyn a'i ddilyn i mewn. Am funud doedd dim ateb, yna ymddangosodd merch o'r tu ôl i'r tŷ.

Edrychai'n swil, ond gwenodd yn garedig arnyn nhw.

'Alla i'ch helpu chi?' gofynnodd.

'Hoffwn i fynd i ferlota,' meddai Catrin ar unwaith. 'Ydych chi'n mynd â grwpiau allan yr wythnos yma?'

'Dw i ddim yn siŵr,' meddai'r ferch yn ansicr. Yna wrth weld bod Catrin yn siomedig, meddai, 'Wel, hwyrach y gallwn i fynd â chi allan.'

Roedd Catrin wrth ei bodd. Trodd at y bechgyn. 'Ddewch chi, fechgyn?'

'Dim diolch,' atebodd Jac ar unwaith. Doedd e ddim yn hoffi ceffylau.

Edrychodd Catrin ar Alun. 'Wrth gwrs,' atebodd hwnnw, gan obeithio na fyddai'n gwneud ffŵl ohono'i hun. Doedd e erioed wedi bod yn merlota o'r blaen.

'Hoffwn i fynd i feicio cwad,' meddai Jac.

Yr eiliad honno, daeth dyn allan o ddrws ffrynt y tŷ. 'Does gyda ni ddim beiciau cwad ar hyn o bryd,' meddai'n swta. Yna ychwanegodd yn gas, 'Ewch â'r cŵn yna allan o'r buarth ar unwaith!'

'Mae'r cŵn ar dennyn,' atebodd Alun yn ddig, 'ac maen nhw dan reolaeth.'

Daliai'r dyn i edrych yn gas, ac meddai'r ferch yn frysiog, 'Fydd hi'n iawn i fi fynd â'r plant yma allan i ferlota, Sam? Maen nhw'n awyddus i fynd.'

Mwmianodd Sam rywbeth a throi ar ei sawdl. Dechreuodd Catrin a'r ferch wneud trefniadau, ac aeth Wncl Jim i grwydro o gwmpas y buarth. Wrth ei weld yn mynd, tynnodd Twm ar ei dennyn, fel petai'n awyddus i'w ddilyn, ond daliodd Alun ef yn dynn. Doedd e ddim eisiau cael unrhyw drafferth gyda'r dyn diflas. Gorffennodd Catrin ei sgwrs ac edrych o gwmpas am ei thad, ond doedd dim golwg ohono.

'Dad?' galwodd.

Daeth ei lais o sièd ar un ochr i'r buarth. 'Dw i fan hyn.' Aeth Jac draw at y sièd i ddweud eu bod nhw'n barod i fynd, a daeth y ddau yn ôl gyda'i gilydd.

Fel roedden nhw'n mynd allan, clywson nhw lais y dyn yn gweiddi'n gas o'r tu ôl i'r tŷ, ac yn sydyn sgrialodd ci rownd y gornel, a neidio dros y wal isel oedd o amgylch y buarth.

Cafodd Alun gip ar fwngrel tenau yn gwisgo coler glas, cyn i'r ci ddiflannu o'r golwg.

'Roedd Ros eisiau i mi ymddiheuro i chi am ei brawd,' meddai Catrin wrth iddyn nhw gerdded. 'Roedd hi'n dweud ei fod mewn tymer ddrwg y dyddiau yma. Rhaid bod ei bywyd hi'n anodd,' ychwanegodd, 'yn gorfod byw gyda rhywun fel Sam bob dydd.'

Cerddon nhw am ychydig yna daethon nhw ar draws nant fechan. Cafodd y cŵn gyfle i gael diod, a phenderfynodd pawb fod hwn yn lle da i gael picnic. Cafodd pawb wledd o roliau ham a chaws, creision, ffrwythau a siocled.

'Ew, roedd hwnna'n bicnic blasus,' meddai Wncl Jim. 'Rhaid i mi gael hoe cyn cychwyn yn ôl.' Gorweddodd ar ei hyd a gosod ei het sombrero fawr dros ei wyneb.

'Dw i'n mynd i folaheulo,' meddai Catrin, a gorweddodd hithau hefyd a chau ei llygaid.

Roedd Twm a Ffranco wedi dilyn y nant a chrwydro ychydig bellter i ffwrdd. Eisteddai Alun a Jac yn cadw golwg arnyn nhw, gan sgwrsio'n dawel.

'Alun,' meddai Jac, 'roedd rhywbeth yn od ynghylch y lle 'na.'

'Oedd,' atebodd Alun. 'Doedd dim angen i Sam fod mor gas.'

'Na, dwyt ti ddim yn deall,' meddai Jac. 'Pan es i i mewn i'r sièd i chwilio am Wncl Jim, fe weles i dri beic cwad newydd sbon yno.'

Syllodd Alun arno. 'Dyna beth rhyfedd,' meddai. 'Pam ddywedodd Sam nad oedd ganddyn nhw unrhyw feiciau cwad? Dw i'n siŵr bod brawd Ros yn codi ofn arni hi. Wyt ti'n meddwl bod rhywbeth o'i le yn Ffynnon y Benglog?'

Galw Gelert

Er iddo fwynhau'r picnic ger y nant, roedd Twm ar dân eisiau dianc. Yn ystod y prynhawn ceisiodd gael cyfle i grwydro oddi wrth y gweddill. Er gwaetha ymdrechion Ffranco i gadw sylw'r plant, wnaeth e ddim llwyddo i sleifio i ffwrdd nes eu bod nhw bron â chyrraedd adre.

Wedi iddyn nhw gyrraedd yn ôl i'r bwthyn, roedd Ffranco ar dân eisiau gwybod yr hanes.

'Fe wnes i adnabod y ci oedd yn dianc o Ffynnon y Benglog ar unwaith,' meddai Twm. 'Asiant Harri oedd e. Rydyn ni'n dau wedi cydweithio lawer gwaith. Fe wnaeth e ein dilyn ni nes i mi lwyddo cael sgwrs gydag e. Mae e'n amau bod rhywbeth od yn digwydd yn Ffynnon y Benglog. Roedd e'n mynd i adrodd yn ôl i Gelert . . .'

Ar y gair, dirgrynodd coleri'r ddau gi.

'Tonfedd C4. Gelert yn galw. Gelert yn galw. Fflach frys i asiantau ymgyrch y Sialens. Daeth gwybodaeth fod neges wedi'i derbyn oddi wrth y Cudyll Coch. Anfonodd neges yn mynnu deng miliwn o bunnau oddi wrth Lywodraeth Cymru.

Os nad yw'n derbyn yr arian, mae'n bwriadu creu terfysg yn y Sialens. Dyw'r Prif Weinidog ddim yn bwriadu ildio. Fory yw diwrnod cyntaf y Sialens. Byddwch ar eich gwyliadwriaeth. Mae C4 yn dibynnu arnoch chi. Drosodd ac allan.'

Ochneidiodd Twm.

'Y Cudyll Coch!' ysgyrnygodd Ffranco.

7

Sialens y Môr a'r Graig

Safai Rhion Wiliam ar lan y môr, a'r tonnau bach yn torri'n ewyn gwyn ar y traeth y tu ôl iddo.

'Bore da a chroeso i Landudno,' meddai'n gyffrous. 'Cymru am byth a Chymru am y Sialens! O'r diwedd, gwawriodd diwrnod cyntaf Sialens Ieuenctid y Byd yng Nghymru. Mae'r siarad ar ben, a'r seremoni agoriadol wedi'i chynnal. Mae'n ddiwrnod braf a'r haul yn tywynnu, a heddiw am y tro cyntaf fe gawn ni weld y cystadleuwyr yn ymgiprys. Fel y gwyddoch chi, mae yna dair cystadleuaeth heddiw i'r dynion a thair i'r merched – ras feiciau ar hyd strydoedd y dref a'r cyffiniau, ras hwylio ar y môr, a ras redeg fydd yn gorffen ar ben Craig y Gogarth Fawr. Mae hwn yn ddiwrnod arbennig, ac mae miloedd o bobl wedi tyrru i Landudno i fwynhau'r holl gyffro.'

'Dyna ddigon o siarad. Dw i eisiau gweld y cystadlu,' meddai Jac yn ddiamynedd.

Eisteddai ef a Catrin ac Alun yn y lolfa a'u sylw wedi'i hoelio ar y sgrin fawr.

'Ac yn awr draw at ein sylwebydd ar gyfer y ras gyntaf, sef y ras feicio i ddynion,' meddai Rhion Wiliam, fel petai wedi clywed geiriau Jac. 'Wyt ti yna, Harri?'

'Diolch, Rhion. Ydi, mae heddiw'n ddiwrnod cyffrous.'

Dangoswyd llun o ddwsinau o gamerâu teledu'n disgwyl am y funud fawr pan fyddai'r cystadleuwyr yn ymddangos. Yn y Sialens gyntaf, roedd un aelod o bob tîm yn cystadlu ymhob ras. Yn y bore cynhelid rasys y dynion, a'r ras seiclo'n cychwyn o ganol y dref. Ymddangosodd y cystadleuwyr a chael eu cyflwyno bob yn un ac un.

'Yn seiclo dros yr Alban, Hector Macshane,' – bonllef o gymeradwyaeth – 'dros wlad Twrci, Canbek Polat, dros China, Huang Enlai . . .' Aeth y cyflwynydd ymlaen i enwi'r lleill, yna meddai, 'Yn olaf, yn seiclo dros Gymru, rhowch groeso arbennig i Osian Llew!' Clywyd bonllef o gymeradwyaeth, pawb yn gweiddi 'Hwrê!' a channoedd o faneri'r ddraig goch yn cael eu chwifio!

'Mae e'n edrych yn nerfus,' meddai Alun. Taflodd gipolwg brysiog dros fywgraffiadau'r cystadleuwyr ar App y Sialens ar ei ffôn. 'Hm,' meddai, 'mae Canbek Polat wedi cystadlu yn y Sialens o'r blaen, ac mae e'n dda . . .'

Cychwynnodd y ras. Ar unwaith, saethodd Canbek Polat a Huang Enlai o China i'r blaen, ac o hynny ymlaen roedd un yn arwain am gyfnod, yna'n cyfnewid lle â'r llall. Seiclodd y beicwyr trwy strydoedd Llandudno ac yna dilyn y cwrs allan o'r dref. Roedd camerâu'n eu dilyn ar hyd y ffordd, ond gallai Alun eu tracio ar App y Sialens hefyd. Roedd Osian Llew yn reidio'i orau glas, ac ef oedd yn drydydd, ond roedd e'n methu'n lân ag ennill tir yn erbyn y ddau oedd o'i flaen. Roedd y ras yn gorffen ar y promenâd yn Llandudno. Pan oedd o fewn milltir i'r llinell derfyn, cyflymodd Huang Enlai yn sydyn a sbarduno'i hun ar y blaen, gan ddefnyddio pob gronyn o nerth oedd ar ôl yn ei gyhyrau cadarn. Ceisiodd Canbek Polat ei ddal, â'r chwys yn llifo ar ei wyneb a'i wddf, ond roedd yn amlwg ei fod wedi chwythu'i blwc.

'China'n gyntaf, Twrci'n ail, Cymru'n drydydd!' cyhoeddodd Harri'r sylwebydd. 'Perfformiad gwerth chweil gan Osian Llew,' ychwanegodd, 'ond allai e ddim curo'r lleill ar y dydd. Yn ôl nawr at Rhion Wiliam.'

Doedd dim amser i Rhion Wiliam ddweud gair, oherwydd roedd y ras hwylio ar fin cychwyn, a'r tro hwn roedd gobeithion Cymru'n uchel iawn. Rhys Llwyd Elis oedd yn cynrychioli Cymru, a gwelwyd ei wyneb ar y sgrin. Edrychai'n hollol benderfynol. Roedd cannoedd o bobl ar y lan yn gweiddi, 'Cymru am byth! Cymru am y Sialens!' ond anwybyddai Rhys bawb a phopeth. Cychwynnodd y ras hwylio, ac o'r dechrau un Rhys Llwyd Elis oedd ar y blaen. Gwnaeth Daaf Visser o'r Iseldiroedd a chynrychiolydd Awstralia eu gorau glas i'w ddal.

'Cymru'n gyntaf, Awstralia'n ail, Yr Iseldiroedd yn drydydd,' cyhoeddodd y sylwebydd.

'Hwrê! Hwrê!' gwaeddodd Wncl Jim yn frwd.

Doedd y plant ddim wedi ei weld yn dod i mewn i'r lolfa, a bu bron iddyn nhw neidio allan o'u crwyn. Cariai hambwrdd â llond plât o frechdanau a chwpanau o sudd oren arno.

'Snac bach,' meddai â gwên. Y funud honno, canodd ei ffôn. Gosododd yr hambwrdd i lawr a diflannu. Anwybyddodd y plant y brechdanau. Roedd eu sylw wedi'i hoelio ar y ras nesaf.

'Buddugoliaeth wych i Gymru!' bloeddiodd Rhion Wiliam yn gynhyrfus, 'ond yn awr fe gawn ni weld dau o sêr y Sialens. Draw atat ti, Bethan.'

'Diolch, Rhion,' meddai Bethan, y sylwebydd rhedeg. 'Yn rhedeg y ras i ben y Gogarth mae Johnson Dwight yn cynrychioli America, a Conan Munro dros yr Alban.'

Roedd y cystadleuwyr yn barod i fynd, a'r cefnogwyr wedi ymgynnull ger y llinell gychwyn. Sylwodd Alun fod Sara Santorina yn sefyll gydag aelodau eraill tîm America yn chwifio baneri ac yn gweiddi. Ciledrychodd ar Jac a gweld ei fod yn syllu ar Sara Santorina. Gwenodd Alun iddo'i hun.

Dechreuodd y ras, ac o'r cychwyn cyntaf roedd Conan Munro ar y blaen. Roedd y ras yn dechrau ar y Gogarth Fach ac yn diweddu ar ben y Gogarth Fawr. Roedd cannoedd yn gwylio ar hyd bob cam o'r cwrs, a'r sŵn yn fyddarol. Ras rhwng dau oedd hi ar y cychwyn – Conan Munro a'r rhedwr o Fecsico.

'Ble mae Johnson Dwight?' gwaeddodd Bethan. 'Does dim sôn amdano!' Ymddangosodd llun ar y sgrin o Dwight ymhellach yn ôl ar y cwrs. 'Mae e wedi syrthio!' sgrechiodd Bethan. 'Mae Johnson Dwight wedi syrthio!'

Cyrhaeddodd y ddau oedd ar y blaen odre Craig y Gogarth Fawr. 'A dyma Johnson Dwight yn dod i'r golwg,' meddai Bethan yn sydyn. 'Mae e ar eu sodlau nhw.' Pasiodd Johnson Dwight y rhedwr o Fecsico. 'Mae Conan Munro'n dioddef erbyn hyn,' meddai Bethan yn gyffrous, 'wedi colli'i wynt yn llwyr! Mae Johnson Dwight yn ennill tir arno – ac mae'r llinell derfyn yn y golwg!' Taflodd Johnson Dwight ei hun ymlaen. 'Dwight sy wedi ennill!' sgrechiodd Bethan. Clywyd bonllef 'Dwight am y Sialens!' yn codi o blith ei getnogwyr. Ar Sianel y Sialens, gwelodd y plant fod Conan Munro a Johnson Dwight â'u breichiau am ysgwyddau ei gilydd – dau arwr yn cydnabod gwrhydri ei gilydd!

'Ew, dw i angen hoe ar ôl hynna,' meddai Jac. 'Dw i'n mynd i gael brechdan.' Ond doedd dim brechdanau ar ôl. Roedd y plât yn wag. 'Ffranco!' rhuodd Jac.

'Twm!' gwaeddodd Alun. Ond doedd dim sôn am Twm na Ffranco.

'Peidiwch â bod yn gas wrthyn nhw!' meddai Catrin, gan bwffian chwerthin. 'Fe a' i i wneud rhagor o frechdanau.'

Aeth y tri i'r gegin. Ymddangosodd Twm a Ffranco ymhen hir a hwyr, eu cynffonnau rhwng eu coesau. Doedd dim golwg o Wncl Jim, ond gallen nhw glywed ei lais yn dal i siarad ar y ffôn.

'Mae dy dad yn treulio oriau ar y ffôn,' meddai Jac wrth Catrin.

'Llawer mwy o amser na fi,' atebodd Catrin gan chwerthin.

Roedd rasys y merched yn cychwyn am hanner awr wedi un. Eisteddai Alun ar y soffa yn y lolfa'n edrych ar App y Sialens ar ei ffôn, gyda Twm a Ffranco'n gorwedd wrth ei draed. Eisteddai Catrin a Jac ar y llawr gyda'r cŵn.

Daeth wyneb Rhion Wiliam ar sgrin y teledu. 'Croeso i gystadlaethau cyntaf y merched,' meddai. 'Ond yn gyntaf, dewch i ni weld byrddau sgôr y Sialens. Fel y gwyddoch chi, ymhob cystadleuaeth mae deg pwynt i'r cyntaf, pum pwynt i'r ail a thri phwynt i'r trydydd.

Mor belled, ar fwrdd y cenhedloedd, mae China, Cymru a'r Unol Daleithiau wedi cael un fuddugoliaeth yr un, felly nhw sy'n gydradd gyntaf ar ddeg pwynt yr un. Gadewch i ni weld bwrdd sgôr yr unigolion. Fel y gwelwch chi, mae Rhys Llwyd Elis, Huang Enlai a Johnson Dwight yn gydradd gyntaf. Fe gofiwch chi mai Johnson Dwight enillodd dlws unigolyn y Sialens y tro diwethaf. Ydy e'n mynd i ailadrodd ei gamp eleni? Gawn ni weld!'

'Wrth gwrs nad yw e,' gwaeddodd Catrin. 'Rhys Llwyd Elis sy'n mynd i ennill!'

'Reit,' meddai Rhion Wiliam, 'fe awn ni'n syth draw at Harri ar gyfer ras feicio'r merched.'

'Diolch, Rhion,' meddai Harri. 'Ond mae gen i newyddion drwg. Dyw cystadleuydd China, Li Bao, ddim wedi ymddangos ar gyfer y ras, a does neb yn gwybod pam nad yw hi'n cymryd rhan. Y ffefryn, wrth gwrs, yw Charlene Allambie . . . Arhoswch funud, dyma Li Bao o'r diwedd. Ydy wir, mae cystadleuydd China'n cymryd ei lle ar y llinell gychwyn!'

Ymddangosodd Li Bao mewn brys mawr, a golwg bryderus iawn arni. Wrth ei hochr roedd Huang Enlai, a'i wyneb fel taran. Beth yn y byd sydd o'i le? meddyliodd Alun.

'Yn cynrychioli Cymru fe fydd Kylie Dafis,' meddai Harri. 'Dydyn ni ddim yn gwybod rhyw lawer am Kylie – daeth i mewn i'r tîm ar y funud olaf. Pob lwc iddi yn erbyn beicwyr cryf iawn.'

Unwaith eto, cychwynnodd y ras o ganol y dref, ac roedd yn amlwg o'r cychwyn mai Charlene Allambie fyddai'n ennill. Roedd hi ymhell ar y blaen. Ond y tu ôl iddi roedd pedair merch yn brwydro'n galed yn erbyn ei gilydd – y cystadleuwyr o Fecsico, De Affrica, China a Chymru. Yn raddol, dechreuodd Li Bao o China a Kylie Dafis o Gymru adael y ddwy arall ar ôl.

'Mae Charlene Allambie wedi croesi'r llinell derfyn!' cyhoeddodd Harri'n gyffrous. 'Hi sy'n ennill! Ond tybed oes 'na siawns am ail safle annisgwyl i Gymru? Dere Kylie!' gwaeddodd. 'Dere Kylie!' Ar y funud olaf, llwyddodd Li Bao i gipio'r ail safle, a daeth Kylie Dafis yn drydydd.

'Diolch, Harri.' Torrodd Rhion Wiliam ar draws y sylwebydd. 'Rydyn ni newydd dderbyn pwt o newyddion. Mae tîm America wedi gwneud cwyn, yn honni bod hylif o ryw fath wedi'i dywallt ar y cwrs o flaen Johnson Dwight y bore 'ma gan wneud iddo lithro a chwympo. Mae swyddogion y Sialens yn edrych i mewn i'r mater.'

'O na,' meddai Alun. 'Mae pethau rhyfedd iawn yn digwydd – yr ymosodiad ar Sara Santorina yn Llanelwedd i ddechrau, a nawr mae rhywun yn ceisio rhwystro Johnson Dwight.'

Edrychodd y plant ar ei gilydd, ond chawson nhw ddim amser i drafod oherwydd daeth Wncl Jim i mewn yn gwisgo'i sombrero. 'Dw i wedi penderfynu cefnogi tîm Mecsico yn y ras hwylio,' meddai.

A dyna wnaeth e. Prin y clywodd neb 'run gair o'r sylwebyddiaeth ar y ras hwylio gan fod Wncl Jim yn bloeddio 'Mecsico am y Sialens!' bob eiliad. Ond er hynny, olaf ond un oedd cwch Mecsico. Fanny de Jong oedd yn fuddugol ar ran yr Iseldiroedd, ac roedd Cymru'n bumed.

'Ras olaf diwrnod cyntaf y Sialens,' meddai Rhion Wiliam, 'ras redeg y merched o'r Gogarth Fach i'r Gogarth Fawr. Ac mae hon yn argoeli i fod yn werth ei gweld. A dyma Bethan i gyflwyno'r rhedwyr i chi. Drosodd atat ti, Bethan.'

'Diolch, Rhion. Maen nhw ar fin cychwyn, a Megan Haf sy'n rhedeg dros Gymru. Nesaf ati hi mae Amira Dabir o Ethiopia, un o'r ffefrynnau i ennill y ras, ynghyd â Sara Santorina o'r Unol Daleithiau.'

Cychwynnodd y ras, a bron ar unwaith, cafodd Megan Haf ei dal mewn grŵp o redwyr oedd yn fwy profiadol na hi. Wrth geisio sicrhau ffordd glir ymlaen iddi hi'i hun, baglodd dros draed y rhedwraig o'i blaen a disgyn yn drwm.

'Dyna ddiwedd ras Megan Haf,' meddai Bethan yn drist, 'a diwedd y ras i Gymru.' Dangosodd y camera gipolwg o Megan Haf yn beichio crio ar ymyl y cwrs, a Rhys Llwyd Elis ac aelodau eraill tîm Cymru'n ei chysuro.

Wrth i'r ras fynd yn ei blaen, roedd hi'n gwbl amlwg bod Amira Dabir o Ethiopia wedi cael mantais wrth ymarfer yn Eryri. Rhedai'n gryf ac yn gyflym. Roedd hi'n tynnu i ffwrdd oddi wrth y lleill, a'r unig un oedd yn agos ati oedd Sara Santorina. Cyrhaeddodd y ddwy waelod y Gogarth Fawr.

'Dere, Sara! Rhed!' gwaeddodd Jac yn frwd.

Ymunodd Catrin gydag ef. 'Sara! Rhed!'

'Ac ar ddiwedd ras agos iawn, Amira Dabir

sy'n ennill,' meddai Bethan. 'Llongyfarchiadau i Ethiopia ar ennill eu pwyntiau cyntaf yn y Sialens. Yn ail mae'r Unol Daleithiau, gyda'r Alban yn drydydd. Yn ôl atat ti, Rhion.'

'Diolch, Bethan,' meddai Rhion. 'A dyna ni wedi dod i ddiwedd diwrnod cyntaf y Sialens.'

Yn sydyn, cododd Wncl Jim ar ei draed. 'A dyna ni wedi gwylio hen ddigon o deledu am heddiw,' meddai. 'Dewch bawb. Fe gawn ni farbeciw yn yr ardd. Dw i wedi paratoi popeth yn barod.'

Gelert yn galw

Roedd Twm wedi cael diwrnod anodd. Wrth iddo gysgu'n braf yn ei fasged yn oriau mân y bore, roedd wedi teimlo'i goler yn dirgrynu.

'Tonfedd C4. Gelert yn galw Asiant Twm. Gelert yn galw Asiant Twm.'

'Asiant Twm. Dw i'n gwrando. Drosodd.'

'Gelert. Daeth rhagor o wybodaeth am y perygl oddi wrth y Cudyll Coch. Dw i wedi trosglwyddo'r wybodaeth i Asiant Harri. Mae'n dal i gadw gwyliadwriaeth o gwmpas mynydd Pumlumon a bydd yn dod i dy weld di ac Asiant Ffranco tua chanol y bore. Alli di drefnu i gwrdd ag e? Drosodd.'

'Asiant Twm. Fe wnaf fy ngorau. Drosodd.'

'Gelert. Mae'r sefyllfa'n gwaethygu. Byddaf i fy hun yn teithio i'r Canolbarth yn y dyddiau nesaf. Drosodd ac allan.'

Gorweddodd Twm yn dawel. Sut yn y byd allai e fynd allan i gyfarfod â Harri heb i Alun a Jac a'r lleill ei weld? Byddai'n rhaid i Ffranco ac yntau fod yn gyfrwys iawn.

Gwyddai Twm y byddai'r plant yn awyddus i wylio diwrnod cyntaf y Sialens ar y teledu, ond roedd yn rhaid iddo sleifio allan rywsut. Wrth i'r bore fynd yn ei flaen, bu'n hanner-gwylio'r Sialens gyda'r plant, gan boeni ar yr un pryd y byddai Harri'n disgwyl amdano y tu allan. Yna daeth Wncl Jim â'r brechdanau i mewn i'r lolfa a gwelodd Twm ei gyfle. Wnaeth Wncl Jim ddim cau'r drws ar ei ôl, a sleifiodd Twm allan.

Aeth i'r drws cefn a gwelodd gysgod yn symud yn y coed ym mhen draw'r lawnt. Rhaid mai Asiant Harri oedd yno. Aeth yn ôl i'r lolfa a gwneud arwydd ar Ffranco i'w ddilyn allan. Yna cafodd syniad. Roedd Asiant Harri wedi bod yn crwydro Canolbarth Cymru ers dyddiau, felly rhaid ei fod bron â llwgu. Yn dawel a llechwraidd, cymerodd Twm a Ffranco rai o'r brechdanau oddi ar y plât roedd Wncl Jim wedi'i adael ar fwrdd isel, a'u cario allan rhwng eu dannedd.

Roedd Asiant Harri'n disgwyl amdanyn nhw wrth y goeden fawr, yn edrych yn deneuach a mwy blinedig nag erioed. Gloywodd ei lygaid wrth weld y brechdanau, ac fe'u llyncodd mewn chwinciad chwannen. Rhedodd Ffranco i'r lolfa i nôl y gweddill iddo. Erbyn iddo ddod yn ôl allan, roedd Twm a Harri wedi dechrau trafod.

'Ces i sgwrs â Gelert neithiwr,' meddai Asiant Harri. 'Dyma ddywedodd e. Mae'r Cudyll Coch wedi gofyn i Lywodraeth Cymru am ddeng miliwn o bunnau. Os nad yw'n derbyn yr arian, bydd yn creu trychineb yn y Sialens. Mae'r Llywodraeth yn ofni y gallai'r trychineb fod yn gysylltiedig â thîm yr Unol Daleithiau neu China, gan mai nhw yw'r gwledydd mwyaf sy'n cymryd rhan yn y Sialens.

'Mae'r Prif Weinidog yn gwrthod talu, ac fe drefnodd y Cudyll Coch ddigwyddiad bygythiol yn y seremoni agoriadol fel rhybudd. Mae'r gwasanaethau diogelwch wedi holi'r dyn a ymosododd ar Sara Santorina. Mae'n taeru nad oedd yn bwriadu gwneud unrhyw ddrwg iddi, dim ond amharu ar seremoni agoriadol y Sialens.'

'Oedd e'n cael ei dalu? Pwy orchmynnodd iddo wneud hyn?' holodd Twm.

Daeth dicter i lygaid Harri. 'Mae gan y dyn ferch fach. Dywedodd ei fod wedi derbyn nifer o alwadau ffôn yn bygwth y byddai'r ferch fach yn cael ei herwgipio os nad oedd yn ufuddhau.'

Ysgyrnygodd Ffranco'i ddannedd. 'Pan es i'n ôl i'r lolfa,' meddai'n sydyn, 'clywais y sylwebydd yn dweud bod Johnson Dwight wedi syrthio wrth gymryd rhan yn ei ras.'

Ochneidiodd Asiant Harri. 'Rhaid bod y Cudyll wedi bod wrthi eto,' meddai. 'Y peryg yw y bydd tîm yr Unol Daleithiau'n tynnu allan o'r Sialens yn gyfan gwbl ac yn dweud nad yw swyddogion Cymru'n gallu sicrhau eu diogelwch. Byddai hynny'n drychineb.'

Edrychai Twm yn ddifrifol iawn.

Aeth Harri yn ei flaen. 'Mae lluoedd cudd diogelwch Cymru wedi bod yn gwneud ymholiadau, ac maen nhw'n credu mai yng Nghanolbarth Cymru y mae pencadlys y Cudyll Coch. Maen nhw'n ofni y bydd yn ceisio trefnu rhyw drychinebau mawr yn un o'r ddwy Sialens nesaf, yn Llanwrtyd neu ar Bumlumon. Mae rhai o'u swyddogion gorau nhw yn y Canolbarth ar hyn o bryd. Bydd rhagor o asiantau C4 yn cyrraedd y Canolbarth fory hefyd, ac mae Gelert ei hun yn bwriadu dod yn fuan.'

Tawelodd Harri a chau ei lygaid am eiliad. 'Maddeuwch i mi,' meddai'n flinedig. 'Dw i ddim wedi cael llawer o gwsg ers nosweithiau. Dw i wedi bod yn crwydro ffermydd o gwmpas Pumlumon ac mae Asiant Elen wedi bod yn gwneud yr un peth yn ardal Llanwrtyd. Dyw hi ddim wedi gweld unrhyw beth amheus. Ond dw i wedi bod yn cadw llygad agos ar Ffynnon y Benglog. Does gen i ddim byd pendant, ond rywsut dw i'n amau Sam. Mae dau ymwelydd yn dod draw yno – i ferlota, medden nhw, ond weithiau maen nhw'n aros dros nos. Mae pethau eraill hefyd yn digwydd yno –'

Torrodd Ffranco ar ei draws unwaith eto. 'Gwelais i feiciau cwad newydd sbon mewn sièd yno.'

'Mae Alun a Catrin wedi trefnu i fynd i ferlota yn Ffynnon y Benglog,' meddai Twm yn bryderus.

Edrychodd Harri arno'n ddifrifol. 'Gwell i ti gadw llygad arnyn nhw,' meddai. Meddyliodd am eiliad cyn ychwanegu, 'Gwna dy orau i ddarganfod beth alli di, ond bydd yn ofalus.' Daeth golwg gas i'w lygaid. 'Dywedodd Gelert rywbeth arall hefyd,' meddai. 'Ac mae hyn yn waeth na dim.'

Oedodd am ychydig. Roedd llygaid Ffranco fel soseri. Beth yn y byd oedd yn bod?

Ochneidiodd Harri. 'Mae Gelert yn amau bod yna fradwr yn C4,' meddai'n drist.

'Bradwr? Yn C4?' Roedd Twm wedi gwrando'n dawel hyd yn hyn, ond yn awr ysgyrnygodd ei ddannedd ac roedd ei lygaid yn danllyd. 'Pwy yw'r bradwr?'

Edrychodd Asiant Harri arno. 'Enwodd Gelert yr asiant roedd e'n ei amau. Dyw e ddim wedi sôn wrth unrhyw un o'r asiantau eraill, ond roedd e am i mi dy rybuddio di. Bedwyr yw'r asiant mae Twm yn ei amau. Byth ers i Asiant Bedwyr ddod i helpu yn y pencadlys, mae negeseuon cyfrinachol yn mynd ar goll a chamgymeriadau rhyfedd yn digwydd.' Crynodd llais Asiant Harri. 'Mae 'na rywbeth arall hefyd. Mae Gelert yn ofni bod Asiant Bedwyr yn bwriadu gwneud niwed iddo. Ac os oes rhywbeth yn digwydd i Gelert, mae e'n awyddus i ti, Twm, gymryd ei le fel pennaeth C4.'

Edrychodd Twm yn syn. Doedd e ddim wedi disgwyl hyn! Roedd llygaid Ffranco'n llawn edmygedd. Twm yn bennaeth C4!

Yn sydyn clywson nhw Alun yn galw 'Twm!' a Jac yn gweiddi am Ffranco.

'Rhaid i ni fynd. Cadwa mewn cysylltiad,' meddai Twm yn frysiog wrth Asiant Harri. 'Rhaid i ni gymryd y bai am fwyta'r brechdanau,' meddai wrth Ffranco.

8

Wncl Jim!

Methiant llwyr fu'r barbeciw. Roedd Wncl Jim wedi tynnu llwyth o fyrgyrs a selsig o'r rhewgell, ac roedd bagiau o roliau bara ar fwrdd y gegin. Ond yn gyntaf bu bron iddo losgi'i aeliau wrth geisio cynnau'r barbeciw. Wedi iddo roi eli ar ei friwiau, gosododd y byrgyrs ar y barbeciw i goginio – a dyna pryd y dechreuodd hi fwrw glaw. Rhedodd pawb yn ôl i'r tŷ i gysgodi.

'Dim ond cawod fach yw hi,' meddai Wncl Jim wrth i'r glaw bistyllio i lawr. Ond ar ôl hanner awr roedd y niwl mor drwchus fel na allen nhw weld ochr arall y cwm, a bu'n rhaid rhoi'r gorau i'r syniad o farbeciw.

'Diolch byth!' sibrydodd Catrin wrth y bechgyn. 'Beth am i ni goginio'r selsig yn y ffwrn?' meddai'n uchel. 'Ac fe wna innau baratoi bowlenaid fawr o salad.'

'Grêt!' cytunodd Alun. 'Oes peth o'r gacen siocled 'na ar ôl i bwdin, Jac?'

'Fydd dim angen bwyd ar y cŵn,' meddai Jac, gan edrych yn gas ar Twm a Ffranco, 'gan eu bod nhw wedi dwyn yr holl frechdanau 'na.'

Ond edrychai'r ddau gi mor drist nes i Catrin gymryd trueni drostyn nhw a rhoi selsig yr un iddyn nhw, yn slei bach.

Erbyn i bawb orffen bwyta, roedd hi wedi dechrau nosi ac yn dal i fwrw glaw. Penderfynodd y bechgyn fynd i chwarae snwcer yn eu stafell ar y llawr uchaf.

'Hoffet ti gêm?' gofynnodd Alun i Catrin. Ond roedd yn well gan Catrin ddarllen ei llyfr.

'Hoffwn i gêm,' meddai Wncl Jim, gan ddilyn y bechgyn i'r stafell yn y to.

Roedd Wncl Jim yn anobeithiol! Gan ei fod mor dal, roedd yn taro'i ben yn erbyn y to isel trwy'r amser. Methodd yn lân â tharo unrhyw bêl i unrhyw boced, a llwyddodd i dorri un o'r polion snwcer hefyd.

'O wel,' meddai o'r diwedd gan chwerthin, 'gwell i chi ddau bencampwr gael gêm. Rhaid i mi ymarfer, yna fe fydda i'n gallu'ch curo chi'ch dau!' Dylyfodd ên yn swnllyd. 'Ew, dw i

100

wedi blino,' meddai. 'Dw i'n mynd i'r gwely. Nos da, fechgyn.'

Wrth iddo ddiflannu i lawr y grisiau, daeth pigyn o amheuaeth i feddwl Alun. Doedd bosib fod Wncl Jim mor anobeithiol ag roedd e'n cymryd arno ei fod? Tybed ai actio oedd e? Ond pam fyddai e'n gwneud hynny?

Chwaraeodd Alun a Jac dair gêm, a Jac enillodd bob un. 'Be sy'n bod arnat ti?' holodd Jac. 'Dwyt ti ddim yn canolbwyntio heno.'

Maes o law aeth y ddau i'r gwely a diffodd y golau. Roedd Alun ar fin cysgu pan gofiodd yn sydyn ei fod wedi gadael ei ffôn ar fwrdd y gegin. 'Dw i'n mynd i nôl fy ffôn,' sibrydodd wrth Jac, ond roedd hwnnw'n cysgu'n drwm.

Aeth Alun i lawr y grisiau'n dawel, ar flaenau'i draed. Doedd dim smic o sŵn yn dod o stafelloedd gwely Wncl Jim a Catrin, ac roedd pobman yn dywyll. Rhaid eu bod nhw wedi mynd i gysgu, meddyliodd Alun. Roedd ar fin mynd i mewn i'r gegin pan welodd olau gwan yn dod o'r lolfa. O na! Oedd rhywun wedi anghofio diffodd y teledu? Stopiodd mewn syndod wrth ddrws y lolfa. Roedd y teledu'n dywyll, ond roedd sgrin y cyfrifiadur yn fyw. Eisteddai Wncl Jim wrth y cyfrifiadur

a'i gefn at y drws, yn teipio'n brysur. Doedd
Alun ddim yn deall. Pam roedd Wncl Jim wedi
dweud nad oedd y cyfrifiadur yn gweithio?

Safodd am funud neu ddwy yn syllu ar gefn
Wncl Jim. Roedd yn amlwg nad oedd e wedi ei
glywed. Tybed ddylwn i ddweud rhywbeth?
meddyliodd Alun. Teimlodd symudiad wrth ei
ymyl. Roedd Twm wedi codi o'i fasged yn y
gegin a safai'n gwylio Wncl Jim. Gafaelodd
Alun yng ngholer y ci, ac yn dawel, dawel, aeth
â Twm yn ôl i'w fasged. Yna daeth o hyd i'w
ffôn a dringo'r grisiau i'w stafell wely.

Roedd Jac eisoes yn cysgu'n drwm, ond bu Alun yn gorwedd am amser hir, a'i feddwl yn chwyrlïo. Beth oedd Wncl Jim yn ei wneud wrth y cyfrifiadur? Cysylltu â rhywun? Â phwy? Pam oedd e wedi mynnu nad oedd y cyfrifiadur yn gweithio?

Gelert yn galw

Gorweddai Twm yn ei fasged yn meddwl am Asiant Bedwyr. Roedd e wedi cydweithio â Bedwyr unwaith neu ddwy, ond fyddai e byth yn ei gyfri'n ffrind, ddim fel Harri, ac Elen . . . a Gelert ei hun, o ran hynny. Teimlai'n ddig tuag ato. Doedd Gelert ddim yn haeddu hyn.

Meddyliodd am y Cudyll Coch. Cofiodd fod Gelert yn amau mai yn y Canolbarth roedd ei bencadlys. Meddyliodd am Wncl Jim yn gweithio'n brysur wrth ei gyfrifiadur yn hwyr yn y nos, er ei fod wedi mynnu nad oedd y peiriant yn gweithio. Gwyddai Twm fod yn rhaid iddo gysylltu â Gelert. Yn sydyn, dirgrynodd ei goler.

'Tonfedd C4. Gelert yn galw Asiant Twm. Gelert yn galw Asiant Twm.'

'Asiant Twm. Dw i'n gwrando. Ro'n i ar fin cysylltu. Angen gwybodaeth am Jim Wiliams. Rydyn ni'n aros gydag ef mewn bwthyn ar droed Pumlumon. A allwn ni ymddiried ynddo? Mae ei ymddygiad yn amheus. Drosodd.'

'Gelert. Fe wnaf fi ymholiadau. Ond mae 'na argyfwng wedi codi. Mae Asiant Harri wedi diflannu . . .'

9

Y bore wedyn

Chafodd Alun ddim llawer o gwsg y noson honno. Breuddwydiai am giw snwcer enfawr yn ei erlid tuag at farbeciw tanllyd . . .

'Deffra, wnei di! Mae'n bryd i ni godi.' Jac oedd yn galw arno, ac wrth agor ei lygaid gwelodd Alun fod Jac wedi dechrau gwisgo'n barod. 'Mae hi'n ddiwrnod braf heddiw,' ychwanegodd Jac, 'a dw i bron â llwgu eisiau brecwast.'

Roedd Wncl Jim eisoes ar ei draed.

'Bore da, fechgyn,' meddai gan wenu. 'Gysgoch chi'n dda? Es i'n syth i'r gwely ar ôl i ni chwarae snwcer ac fe gysges i'n drwm tan y bore.'

Celwydd noeth! meddyliodd Alun. Doedd Wncl Jim *ddim* wedi mynd yn syth i'r gwely! Beth yn y byd oedd e'n ei wneud neithiwr mor llechwraidd ar y cyfrifiadur?

'Beth gymerwch chi blant i frecwast?' holodd.

Dewisodd Jac a Catrin dost a sudd oren, ond doedd Alun ddim yn gwrando.

'Beth amdanat ti, Alun?' meddai Wncl Jim. 'Fydd tost a sudd oren yn iawn i tithau hefyd?'

'O, ym, bydd, wrth gwrs, diolch,' mwmianodd Alun.

Edrychodd Wncl Jim yn graff arno. 'Popeth yn iawn?' gofynnodd yn garedig.

Gwelodd Alun fod Jac yn syllu arno hefyd.

'Wrth gwrs,' meddai Alun. Ceisiodd feddwl am rywbeth i'w ddweud. 'Beth yw'r cynlluniau heddiw?' gofynnodd.

'Wel, mae'n ddiwrnod braf,' meddai Wncl Jim. 'Beth am i ni fynd draw i Aberystwyth am dro?' Ychwancgodd fcl pctai ncwydd gacl syniad, 'Dw i'n meddwl bod tîm yr Unol Daleithiau'n aros yn Aberystwyth. Falle cawn ni gipolwg arnyn nhw yno.'

Roedd Jac wrth ei fodd. 'Tybed allen ni eu gwylio nhw'n ymarfer?' gofynnodd yn frwdfrydig.

Wrth fwyta'u brecwast, roedd pawb yn brysur yn trafod a gwneud cynlluniau.

'Mae gen i ychydig o alwadau ffôn i'w gwneud gynta. Beth am i ni gychwyn tua hanner awr wedi deg?' awgrymodd Wncl Jim.

'Hoffwn i fynd am dro ar y traeth yn Aberystwyth,' meddai Catrin yn freuddwydiol, 'a gwlychu fy nhraed yn y môr.' Edrychodd yn syth i gyfeiriad Alun.

'Syniad da,' cytunodd hwnnw ar unwaith.

Tra oedden nhw'n aros am Wncl Jim, aeth y plant i wylio Sianel y Sialens ar y teledu. Ar unwaith, fflachiodd wyneb Rhion Wiliam ar y sgrin.

'Yn dilyn y digwyddiad ddoe lle taflwyd olew ar y ffordd o flaen Johnson Dwight gan achosi iddo syrthio, mae rhai o swyddogion yr Unol Daleithiau'n annog y tîm i ddychwelyd adre heb gymryd rhan bellach yn y gystadleuaeth.'

Dangoswyd llun o garfan yr Unol Daleithiau'n siarad yn ddifrifol ymysg ei gilydd.

Aeth Rhion Wiliam yn ei flaen, 'Dywedodd llefarydd mewn datganiad y bydden nhw'n gofyn i Lywodraeth Cymru sicrhau bod mesurau diogelwch ychwanegol yn cael eu cymryd.'

Darlledwyd cyfweliad gyda Johnson Dwight. Edrychai'n gadarn a difrifol fel arfer. 'Dw i'n benderfynol o aros a helpu'r tîm i ennill y Sialens,' meddai'n bendant.

'Chwarae teg i Johnson Dwight,' meddai Jac.

Roedd ar fin diffodd y teledu pan ddywedodd Rhion Wiliam, 'Ac yn anffodus rydyn ni newydd gael gwybodaeth am brotest arall yn dilyn digwyddiadau ddoe. Bu bron i Li Bao o China fethu â chymryd rhan yn y ras. Roedd hi'n reidio ar y llain ymarfer yn Llandudno cyn ei ras. Roedd rhywun wedi taenu hoelion mân ar y llain ac fe gafodd ei beic ei ddifrodi. Bu'n rhaid iddi fenthyca beic arall, a dim ond prin gyrraedd y llinell gychwyn mewn pryd wnaeth hi. Dywedodd ei chapten, Huang Enlai, gan siarad drwy gyfieithydd, ei fod yn siomedig iawn bod y fath beth wedi digwydd yng Nghymru.'

'O na,' meddai Alun yn flin wrth i Jac ddiffodd y teledu, 'ro'n i'n meddwl bod pawb yng Nghymru'n cefnogi'r Sialens.'

O'r diwedd, roedd Wncl Jim yn barod i gychwyn ac aeth pawb i mewn i'r car. Roedd Ffranco'n dynn wrth sawdl Jac ar unwaith, ond doedd dim golwg o Twm. Ble yn y byd oedd e? Daeth Alun o hyd iddo yn ei fasged, ond pan geisiodd Twm godi, gwelodd Alun ei fod yn gloff! Daeth pawb i weld beth oedd o'i le.

'Rhaid i Twm aros gartre,' meddai Wncl Jim.

'Gwell i mi aros gydag e,' meddai Alun.

'O na, rhaid i ti ddod i Aberystwyth,' meddai Catrin yn siomedig.

'Gorffwys sydd ei angen ar Twm,' meddai Wncl Jim yn bendant. 'Fe symudwn ni ei fasged i'r siêd a gadael y ffenest ar agor er mwyn iddo gael digon o awyr iach. Gad ddigon o ddŵr iddo'i yfed hefyd.'

Pur anfodlon oedd Alun i adael Twm, ond o'r diwedd cychwynnodd pawb ar y daith i Aberystwyth. Roedd Ffranco'n llawn cynnwrf ar y sedd gefn, yn gwneud yn siŵr nad oedd neb yn edrych yn ôl.

Asiant Harri

Cyn gynted ag y diflannodd y car, neidiodd Twm ar ei draed. Doedd e ddim yn gloff bellach. Roedd Ffranco ac yntau wedi trafod sut y gallai ufuddhau i orchymyn Gelert i chwilio am Asiant Harri. Roedd Ffranco ar dân eisiau helpu, ond meddai Twm yn gadarn, 'Dy waith di yw mynd i Aberystwyth gyda'r lleill. Os byddi di'n gweld tîm America, edrycha o gwmpas yn ofalus rhag ofn y gweli di rywbeth amheus.'

Doedd Twm ddim yn hoffi twyllo Alun, ond gwyddai ei bod hi'n bwysig darganfod beth oedd wedi digwydd i Asiant Harri.

Sut allai e fynd allan o'r sièd? Roedd pentwr o gelfi gardd yno, a bwrdd o dan y ffenest. Neidiodd Twm ar gadair, yna ar y bwrdd. Gwthiodd y ffenest yn lletach agored â'i drwyn, a neidio allan gan ddechrau cerdded i gyfeiriad Ffynnon y Benglog. Roedd yn siŵr y byddai Asiant Harri o gwmpas y fferm yn rhywle.

Heddiw ymddangosai'r ffordd yn hirach nag o'r blaen, ond o'r diwedd safai Twm yng nghysgod y wal o flaen y fferm. Cymerodd gip trwy'r glwyd. Doedd neb o amgylch. Clustfeiniodd. Doedd dim sŵn chwaith. Sleifiodd Twm yn llechwraidd i mewn trwy'r glwyd.

O gwmpas y buarth safai'r tŷ a thair sièd. Doedd Harri ddim yn debygol o fod yn y tŷ, felly penderfynodd Twm chwilio'r tair sièd. Roedd drysau dwy ohonyn nhw ar agor, ond doedd dim sôn am Harri yn y naill na'r llall. Roedd y drydedd sièd ar glo. Edrychodd Twm o'i gwmpas. Roedd ffenest yn y sièd, a phentwr o goed odani. Os dringa i ar y coed, galla i edrych i mewn, meddyliodd. Dringodd yn ofalus ar y pentwr simsan a chael cipolwg i mewn i'r sièd. Gwelodd dri beic cwad yno. Yna, cyn iddo allu edrych ymhellach, dechreuodd y pentwr coed symud. Dim ond prin llwyddo i neidio oddi arno a rhedeg i guddio y tu ôl i'r sièd wnaeth Twm cyn i'r blociau pren wasgaru'n swnllyd ar hyd y buarth.

Ar unwaith agorodd drws y tŷ a daeth Sam allan. 'Pwy sy 'na?' gwaeddodd. 'Dewch allan i'r golwg i mi gael eich gweld chi.'

Cuddiodd Twm y tu ôl i'r sièd gan geisio peidio ag anadlu hyd yn oed. Edrychodd Sam ar y pentwr coed cyn cerdded o gwmpas y buarth gan edrych yn graff i bob cyfeiriad. Ond welodd e mo Twm.

O'r diwedd, penderfynodd Sam fynd yn ôl i'r tŷ, a rhoddodd Twm ochenaid fawr o ryddhad.

Ymhen munud neu ddwy daeth allan o'i guddfan ac edrych o'i gwmpas eto. Ble'r âi e nesa? Wrth ochr y tŷ gwelodd rywbeth rhyfedd, tebyg i gylch o gerrig. Yna sylweddolodd beth oedd yno – Ffynnon y Benglog oedd enw'r fferm a hon *oedd* y ffynnon. Roedd clawr trwm yn dynn dros y ffynnon a doedd dim modd i Twm edrych i mewn iddi. Cerddodd o'i chwmpas. Ac yno, mewn cornel cul rhwng y ffynnon a'r tŷ, gwelodd gorff brown tenau – Asiant Harri! Rhuthrodd Twm ato, ond gorweddai Harri'n llonydd a'i lygaid ar gau.

'Hei, deffra,' sibrydodd Twm. 'Rhaid i ni 'i heglu hi o 'ma. Glou!'

Ond wnaeth Harri ddim symud 'run gewyn. A sylweddolodd Twm mewn arswyd na fyddai Asiant Harri byth yn agor ei lygaid eto.

10

Taith i Aberystwyth

Roedd hi'n braf ar lan y môr yn Aberystwyth, yr awyr yn las a'r môr yn llyfn. Chwythai awel ysgafn, a galwai'r gwylanod yn brysur ar ei gilydd. Parciodd Wncl Jim y car ac aeth pawb am dro. Roedd yn rhaid i Jac gadw Ffranco ar ei dennyn rhag ofn iddo ddechrau rhedeg ar ôl y gwylanod.

Prynodd Wncl Jim hufen iâ i bawb. 'Dw i'n meddwl mai ar gampws y Coleg mae tîm yr Unol Daleithiau'n ymarfer,' meddai. 'Hoffech chi fynd i weld?'

'Gwych!' Roedd Jac wrth ei fodd.

'Byddai'n well gen i gerdded ar hyd y traeth a throchi fy nhraed yn y môr,' meddai Catrin.

Edrychodd i fyw llygaid Alun. Gwisgai Catrin dop o liw glas golau a phili-pala lliwgar arno. Roedd y mwclis lliwgar am ei gwddw.

Bu tawelwch am eiliad. Yna meddai Alun, 'Hoffwn i aros yma hefyd.'

'Wwwwwww!' meddai Jac, nes i Alun wrido at ei glustiau.

'Jac!' siarsiodd Wncl Jim, ond roedd ei lygaid yn dawnsio. 'O'r gorau, fe aiff Jac a fi – byddwn ni'n ôl fan hyn ymhen rhyw awr. Iawn?'

Roedd y dref yn brysur, a llawer o draffig ar y ffyrdd, ond ymhen fawr o dro roedd Wncl Jim a Jac wedi cyrraedd y campws.

'Ble maen nhw'n ymarfer?' gofynnodd Jac.

Yna gwelodd fod tyrfa fach o bobl yn sefyll yn ymyl y trac rhedeg. Aeth Jac ac Wncl Jim draw, a Ffranco'n ddiogel ar ei dennyn.

Gwelodd Jac athletwyr mewn tracwisgoedd glas a streipiau gwyn a choch arnyn nhw, yn ymarfer ar y tir y tu mewn i'r trac rhedeg. Gwelodd Johnson Dwight ar unwaith – ef oedd y talaf o'r criw o bell ffordd. A dacw Sara Santorina, meddyliodd, gan weld merch fechan, bryd golau, yn rhedeg yn ei hunfan.

Rhwng y tîm a'r dyrfa safai sawl swyddog diogelwch gan rwystro neb rhag mynd yn rhy agos. Cariai bob un radio, ac edrychent yn broffesiynol a bygythiol. Canodd ffôn Wncl

Jim. 'Rhaid i mi ateb yr alwad 'ma,' meddai wrth Jac a symud i ffwrdd.

Safodd Jac yn gwylio, a Ffranco'n dawel wrth ei draed. Maes o law, daeth yr ymarfer i ben, a dechreuodd y tîm gasglu eu hoffer cyn cerdded fesul un yn ôl i'w llety. Er bod rhai'n cadw draw oddi wrth y dyrfa, roedd eraill yn gwenu a chodi llaw.

Roedd Johnson Dwight yn fodlon rhoi llofnod i griw o blant oedd yn aros yn eiddgar amdano. Y tu ôl iddo daeth Sara Santorina. Gwyliai Jac hi'n eiddgar. Ew! Roedd hi'n dlws!

Yn sydyn, teimlodd Jac blwc ar y tennyn. Roedd Ffranco'n neidio i fyny ac i lawr yn gynhyrfus.

'O! Dw i'n dy adnabod di!' meddai Sara gan wenu. 'Ti oedd y ci bach welais i yn Llanelwedd. Sut wyt ti?' Roedd Ffranco wrth ei fodd. Ceisiodd dynnu Jac draw at Sara Santorina gan obeithio cael llyfu ei llaw!

'Cadwch i ffwrdd!' gorchmynnodd un o'r swyddogion diogelwch.

'Mae'n iawn, mae'r rhain yn ffrindiau i mi,' meddai Sara, gan wenu ar Jac a Ffranco.

Plygodd i roi mwythau i'r ci bach. 'Hoffet ti ddod i gael diod gyda ni?' gofynnodd i Jac.

Yn sydyn, roedd Wncl Jim yn ôl wrth ei ochr.

'Bydden ni wrth ein bodd,' meddai Wncl Jim yn galonnog.

Edrychodd Sara braidd yn syn – doedd hi ddim wedi bwriadu gwahodd Wncl Jim mewn gwirionedd. Ond aeth Jac, Ffranco ac Wncl Jim gyda Sara i gael diod yn ffreutur y tîm. Eisteddodd Jac a Ffranco gyda Sara Santorina wrth fwrdd y tu allan i'r ffreutur yn sgwrsio. Roedd Jac ar ben ei ddigon! Gwnaeth Wncl Jim yn siŵr ei fod yn siarad â phob aelod o'r tîm, ac roedd y lle'n atsain â'i chwerthin iach a'i lais cryf.

Ymhen ychydig, edrychodd Wncl Jim ar ei wats. 'Mae'n bryd i ni fynd,' meddai. 'Pob lwc i chi yn y Sialens,' ychwanegodd wrth ffarwelio â'i ffrindiau newydd, 'ond cofiwch beidio â churo tîm Cymru!' Wrth iddyn nhw ymadael, rocdd hyd yn oed Johnson Dwight yn gwenu arnyn nhw.

Ar y ffordd adre yn y car, roedd pawb yn dawel. Roedd sêr yn llygaid Jac wrth iddo gofio'i sgwrs â Sara Santorina. Eisteddai Alun a Catrin gyda'i gilydd yn y sedd gefn, yn amlwg wedi mwynhau mynd am dro ar lan y môr. Roedd Alun wedi manteisio ar y cyfle i roi'r freichled fwclis roedd wedi'i phrynu yn Llanelwedd i Catrin, a byseddai Catrin hi â gwên ar ei hwyneb.

Yn rhyfedd iawn, doedd gan Wncl Jim ddim gair i'w ddweud. O'i sedd, gallai Alun weld ei wyneb yn nrych y gyrrwr. Doedd e erioed wedi gweld Wncl Jim yn edrych mor gas . . .

Pan gyrhaeddon nhw adre, aeth Alun ar unwaith i weld sut hwyl oedd ar Twm. Gorweddai yn ei fasged, a phan gododd i gyfarch Alun roedd yn amlwg nad oedd e'n gloff bellach.

'Mae gorffwys trwy'r dydd wedi gwneud lles iddo,' meddai Jac.

Ond doedd Alun ddim mor siŵr. Meddyliodd nad oedd erioed wedi gweld yr hen gi'n edrych mor flinedig. A pham roedd ei lygaid yn edrych mor drist? Beth oedd o'i le ar Twm?

Galw Gelert

Yn nhawelwch y nos, anfonodd Twm ei neges.

'Tonfedd C4. Asiant Twm yn galw Gelert. Asiant Twm yn galw Gelert.'

'Gelert. Dw i'n gwrando. Drosodd.'

'Asiant Twm. Newyddion trist iawn. Mae Asiant Harri wedi marw . . .'

11

Sialens y Mwd

Fore trannoeth, dychwelodd y glaw! Gorweddai Alun a Jac yn eu gwelyau'n gwylio'r dŵr yn llifo i lawr y ddwy ffenest yn nho eu stafell. 'Wel, am ddiwrnod da i gynnal Sialens y Mwd yn Llanwrtyd!' meddai Jac.

'Alla i ddim dychmygu sut deimlad fyddai hi i geisio nofio trwy sianel ddofn o fwd ar ddiwrnod fel hyn!' chwarddodd Alun.

Cododd y ddau fachgen a gwisgo'n hamddenol. Doedd y Sialens ddim yn cychwyn tan un ar ddeg. Hwyrach y byddai amser i gael gêm o snwcer cyn gwylio'r gystadleuaeth ar y teledu.

Yn sydyn, clywson nhw lais Wncl Jim yn galw.

'Fechgyn! Brysiwch!'

'Y? Beth yw'r brys?' meddai Jac, ond rhedodd y ddau i lawr i'r gegin.

Eisteddai Wncl Jim wrth y bwrdd â'i ffôn yn

ei law, ac yntau'n amlwg newydd orffen galwad. Dw i erioed wedi gweld neb yn treulio cymaint o amser ar y ffôn, meddyliodd Alun. Roedd Wncl Jim yn gwenu'n braf, ond cofiodd Alun yn sydyn am ei ymddygiad rhyfedd y dydd o'r blaen, a daeth y pigyn gofid yn ôl i'w feddwl.

'Dw i newydd gael syniad,' meddai Wncl Jim. 'Beth am i ni fynd i Lanwrtyd heddiw? Does dim tocynnau gyda ni ar gyfer y Sialens, wrth gwrs, ond gallen ni wylio ar y sgriniau mawr a mwynhau'r awyrgylch. Hoffech chi fynd? Os felly, bydd yn rhaid i ni gychwyn cyn bo hir.'

'Wrth gwrs!' meddai Jac yn gyffrous.

'Gwych!' meddai Alun.

Cytunodd Catrin hefyd, ac meddai, 'Fydd Twm yn ddigon da i ddod heddiw?'

Roedd hi'n amlwg fod Twm a Ffranco wrth eu bodd â'r syniad o fynd i Lanwrtyd, a phrysurodd y bechgyn i roi brecwast iddyn nhw.

Ymhen fawr o dro roedd pawb yn y car mawr unwaith eto. Roedd y plant wedi dod â'u dillad glaw, ond wrth iddyn nhw deithio peidiodd y cawodydd trwm ac ymddangosodd yr haul o'r tu ôl i'r cymylau. Ar y ffordd yno, edrychodd Alun ar App y Sialens.

'**Sialens y Mwd**. Yn wahanol i Sialens y Môr, lle roedd tair cystadleuaeth ac aelodau'r timau'n cymryd rhan mewn dim ond un ohonyn nhw, o hyn allan un gystadleuaeth fydd i'r dynion ac un i'r merched ymhob Sialens, a bydd pob aelod o'r tîm yn cystadlu ynddi.

Sialens y Mwd yw'r Sialens fwyaf agored – gallai unrhyw un ennill hon. Bydd yn rhaid i bawb nofio ar hyd ffos hir, a honno'n llawn mwd. Rhaid iddyn nhw ddefnyddio snorcel er mwyn anadlu. Ras y merched fydd yn gyntaf.

Oherwydd natur arbennig y gystadleuaeth, does neb wedi cael cyfle i ymarfer. Mae'n gofyn am nerth a dyfeisgarwch a dyfalbarhad. Mae'n dipyn o hwyl hefyd!

Pwy yw'r ffefrynnau? Unrhyw un sy'n gryf ac yn ddewr ac yn fodlon mentro! Mae'r ffos yn llawn dŵr a mwd – ond mae yno hefyd wair, chwyn gwlyb, a phryfed ac ati!'

Am ryw reswm, trwy gydol y daith bu Wncl Jim yn canu nerth ei ben, 'Fuoch chi 'rioed yn morio? Wel, do, mewn padell ffrio!' Yn ffodus, wedi iddyn nhw gyrraedd Llanwrtyd roedd yn rhaid iddo roi'r gorau iddi er mwyn dilyn y cyfarwyddiadau i'r maes parcio.

'Dewch blant, fe awn ni am dro o gwmpas!' meddai Wncl Jim wedi iddyn nhw barcio.

Roedd hi'n dechrau bwrw glaw eto, ac wrth gerdded roedd yn rhaid i'r plant osgoi'r pyllau dŵr ar y ffordd a phigau'r ymbaréls roedd pobl yn eu cario. Roedd ffensys wedi'u gosod o amgylch y llain lle cynhelid y gystadleuaeth, a dim ond pobl â thocynnau oedd yn cael mynd i mewn. Ond roedd sgriniau mawr wedi'u codi ar hyd y dref er mwyn i bawb gael dilyn y cystadlu.

Roedd y timau wedi cyrraedd! Gwelodd Alun y bysys wedi'u parcio mewn rhes, ac ar y sgrin fawr, gallai weld y cystadleuwyr ar lain y Sialens. Roedd pawb yn astudio'r ffos hir y bydden nhw'n nofio drwyddi bob yn un. Roedd y mwyafrif o'r merched yn gwisgo dillad deifio, ond roedd rhai fel Fanny de Jong wedi penderfynu gwisgo dillad nofio. Gwelodd Alun dîm China – gwenai Li Bao yn hapus, ond edrychai Huang Enlai braidd yn ofidus. Mae'n gyfrifoldeb mawr bod yn gapten tîm, meddyliodd Alun.

Ras y merched oedd gyntaf, ac roedd pob merch o bob tîm yn cymryd rhan. Canodd y swyddog ei chwiban – roedd y gystadleuaeth ar fin cychwyn! Byddai'r cystadleuwyr yn nofio fesul un, a'r gyntaf i fentro oedd Mairi Macshane o'r Alban. Safai mewn deifwisg dywyll ar ymyl y ffos yn edrych i mewn. Gwisgai helmed las â chroes yr Alban arni am ei phen, a snorcel yn codi o'r helmed.

'Ffwrdd â chi!' meddai'r swyddog a deifiodd Mairi i mewn.

Ymhen eiliad dim ond copa'r helmed a'r snorcel oedd i'w gweld yn symud trwy'r dŵr. Ar y cychwyn symudai Mairi'n araf, yna cyflymodd wrth iddi ddod yn gyfarwydd â'r dŵr a'r amodau anodd.

'Dere 'mlaen, Mairi!' gwaeddai ei chefnogwyr. 'Rwyt ti'n gwneud yn dda!'

Roedd Mairi wedi cyrraedd pen draw'r ffos, a chychwynnodd ar ei ffordd yn ôl. Roedd yn waith anodd gwthio'i ffordd trwy'r dŵr a'r mwd ac roedd Mairi'n blino, ond gorffennodd mewn amser cyflym a chodi allan o'r dŵr gan wenu mewn rhyddhad.

Safodd y plant ac Wncl Jim yn gwylio'r sgrin fawr, wrth i'r cystadleuwyr nofio un ar ôl y llall. Ar helmedau merched tîm Mecsico roedd pen eryr, ac ar rai Charlene Allambie a merched eraill tîm Awstralia roedd pen cangarŵ. Gwisgai merched Cymru helmedau â chenhinen Bedr arnynt.

Gwaeddodd y dorf o gwmpas y ffos, a phawb ar strydoedd Llanwrtyd, wrth weld cenhinen Bedr yn symud yn gyflym trwy'r dŵr. Ar y sgrin fawr gwelwyd lluniau o Rhys Llwyd Elis ac Osian Llew ac aelodau eraill y tîm yn rhuo'u cefnogaeth.

'Mae Kylie Dafis yn rhoi perfformiad da!' gwaeddodd y sylwebydd ar y sgrin fawr. Roedd y plant yn adnabod llais Rhion Wiliam.

Un o'r cystadleuwyr olaf oedd Sara Santorina. 'Nofia, Sara! Nofia!' gwaeddodd Jac, a dechreuodd Ffranco gyfarth ei gefnogaeth hefyd.

Gwisgai Sara helmed â baner yr Unol Daleithiau arni ac aeth allan yn gyflym iawn, ond yna, wedi'r hanner ffordd, arafodd wrth iddi flino. Safai aelodau'r tîm ar un pen i'r ffos yn gweiddi a churo dwylo. Sbardunodd Sara'i hun a gwnaeth ymdrech enfawr i gyrraedd y llinell derfyn, ond pan gamodd allan o'r dŵr edrychai'n welw ac fel petai ar fin llewygu.

Rhedodd Johnson Dwight ati gan gipio un o'r blancedi ffoil roedd pawb yn eu gwisgo ar ôl iddyn nhw gystadlu. Lapiodd y flanced arian amdani a'i chario i lecyn cysgodol.

O'r diwedd, un cystadleuydd oedd ar ôl, sef Li Bao o China. Hyd yn hyn, un o gystadleuwyr Mecsico, Milana Hurtado, oedd wedi cyflawni'r amser gorau, ac yn yr ail le roedd Fanny de Jong o'r Iseldiroedd. Yn drydydd roedd y cystadleuydd cyntaf oll, Mairi Macshane.

Aeth Li Bao i sefyll ar lan y ffos a gwisgo'i helmed goch. Edrychodd i lawr i'r dŵr a pharatoi i neidio i mewn. Yn sydyn rhoddodd sgrech a neidio'n ôl. Ar unwaith roedd ei chapten, Huang Enlai, wrth ei hochr. Edrychodd yntau i mewn i'r ffos a daeth golwg gas dros ei wyneb.

'Mae'n amlwg fod rhyw oedi'n digwydd yn y gystadleuaeth,' meddai Rhion Wiliam yn frysiog. 'Yn y cyfamser, fe awn ni am gyfweliad gyda Mairi Macshane.' Ymddangosodd Mairi Macshane ar y sgrin fawr, wedi'i lapio'n gynnes yn ei blanced ffoil arian.

Canodd ffôn Wncl Jim. Gwrandawodd am eiliad, yna meddai, 'Bydda i'n ôl yn y man,' a diflannodd.

'Ble mae e'n mynd?' gofynnodd Jac mewn syndod.

Edrychodd Alun o'i gwmpas. Roedd Wncl Jim wedi diflannu. Unwaith eto, daeth ei amheuon i flaen ei feddwl. Roedd e'n awyddus i sôn wrth y lleill, ond sut allai e? Wncl Jim oedd tad Catrin ac ewythr Jac. Doedd Alun ddim yn gwybod beth i'w wneud.

Roedd Twm wedi bod yn sefyll yn dawel wrth draed Alun am amser hir, ac erbyn hyn roedd Alun wedi gollwng y tennyn o'i law. Yn sydyn, edrychodd Alun i lawr. Doedd dim golwg o'r ci.

'Twm!' galwodd. 'Dere 'ma ar unwaith!'

Ond doedd Twm ddim yno. Dechreuodd Jac a Catrin alw arno hefyd. Ble yn y byd oedd e? Yna'n sydyn, ymddangosodd Twm wrth ochr Alun, gan geisio edrych yn ddidaro.

'Ble fuest ti?' gofynnodd Alun yn flin. Syllodd Twm i'w lygaid, a gallai Alun fod wedi taeru bod Twm yn gwenu.

Roedd y cyfweliad gyda Mairi Macshane ar ben. 'Ac yn ôl â ni at y cystadleuydd olaf, Li Bao,' cyhoeddodd Rhion Wiliam.

Cyn gwisgo'i helmed, edrychodd Li Bao yn ofalus i mewn i'r dŵr. Roedd golwg bryderus arni, ond o'r diwedd neidiodd i mewn. Ar y lan, safai Huang Enlai a nifer o swyddogion diogelwch y Sialens. Dechreuodd Li Bao nofio, ond doedd hi ddim ar ei gorau. Roedd yn amlwg nad oedd ganddi obaith o ennill y Sialens hon.

'Rydyn ni'n cael ar ddeall bod Li Bao wedi gweld neidr yn y ffos pan oedd hi ar fin neidio i mewn,' meddai Rhion Wiliam. 'Roedd yn rhaid i swyddogion y Sialens alw am gymorth arbenigwyr i dynnu'r neidr allan.'

Gelert ei hun!

Roedd Ffranco o'i go, ac yn drist iawn, pan soniodd Twm wrtho am Asiant Harri. Roedd ar dân eisiau rhuthro draw i Ffynnon y Benglog ar unwaith i ddial ar bwy bynnag oedd wedi llofruddio'i ffrind newydd.

'Na,' meddai Twm. 'Nid dyna fel mae asiantau da yn gweithio. Rhaid i ni ddisgwyl am gyfarwyddyd oddi wrth Gelert. Fe ddown ni o hyd i'r llofrudd, paid â phoeni, ac yna caiff e dalu'r pris,' ychwanegodd rhwng ei ddannedd.

Wrth gerdded o amgylch tref fechan Llanwrtyd gyda'r plant, roedd Twm a Ffranco wedi sylwi bod llawer o gŵn o gwmpas. Roedd Twm wedi adnabod un neu ddau ohonyn nhw.

'Weli di'r ci du acw?' meddai'n dawel wrth Ffranco. 'Asiant Elen yw honna. A dacw Asiant Dai – y corgi ar y tennyn coch.'

Ond yn sydyn, credodd Twm iddo weld bleiddgi mawr urddasol yn symud yn dawel ymysg y dyrfa. Roedd Gelert yma! Allai Twm ddim credu'i lygaid!

Byddai Gelert fel arfer yn aros yn ei bencadlys, neu o leiaf yn symud yn y cysgodion. Craffodd Twm yn ofalus. Na, rhaid mai dychmygu wnes i, meddyliodd. Ond yn sydyn gwelodd y bleiddgi'n syllu arno o gysgod stondin pysgod a sglodion ar gornel y brif stryd. Cyn gynted ag y gwelodd Gelert fod Twm wedi'i adnabod, diflannodd o'r golwg. Gwyddai Twm fod Gelert am iddo'i ddilyn, ac yn ffodus iawn roedd Alun wedi gollwng ei dennyn. Yn dawel, dawel, sleifiodd Twm i ffwrdd gan wincio ar Ffranco.

Rhedodd Twm nerth ei draed ar ôl Gelert nes dod at stryd lydan. Ar y pen draw iddi, gwelodd

Gelert yn troi i mewn i lôn gul. Dilynodd Twm ef ac yno, yng nghysgod hen wal gerrig, cafodd y ddau gi sgwrs dawel.

'Diolch am ddod o hyd i Asiant Harri,' meddai Gelert, a golwg drist arno. 'Newyddion drwg iawn. Fe roddodd wasanaeth da i ni.'

'Ydy hi'n ddiogel i ti fod yn cerdded o gwmpas yn agored fel hyn?' gofynnodd Twm.

Ochneidiodd Gelert. 'Mae'r sefyllfa'n ddifrifol iawn. Mae'n amlwg bellach fod y Cudyll Coch yn gweithredu o ardal Pumlumon. Dyw Llywodraeth Cymru ddim wedi ymateb i'w fygythion. Dw i'n ofni bod gan y Cudyll ryw gynllun dieflig ar gyfer Sialens y Mynydd. Dw i ar fy ffordd i'r ardal ar hyn o bryd, ac fe fydda i'n cysylltu â ti'n nes ymlaen.'

'Pwy sy yn y pencadlys?' gofynnodd Twm.

'Mae Bedwyr yno,' meddai Gelert.

Edrychodd Twm yn syn. 'Ond dywedodd Asiant Harri dy fod ti'n amau bod Bedwyr yn fradwr,' meddai.

Edrychodd Gelert yn drist. 'Oes, mae gen i amheuon. Ond rhaid i mi fod yn siŵr cyn ei ddiarddel o C4,' meddai. 'Dw i erioed o'r blaen wedi gorfod diarddel asiant. Hwyrach mod i'n mynd yn hen . . .'

Syllodd Twm arno. Wyddai e ddim beth i'w ddweud. Roedd Gelert bob amser mor gadarn, a doedd Twm erioed wedi ei weld yn ansicr. Yna clywodd Catrin yn galw arno, wedyn Alun.

'Rhaid i mi fynd yn ôl at y plant,' meddai'n frysiog. Roedd ar fin cychwyn pan gofiodd am Wncl Jim. 'Oes unrhyw wybodaeth am Jim Wiliams?' gofynnodd. 'Ydy e dan amheuaeth?'

'Ces i wybodaeth am Jim Wiliams,' meddai. 'Dyw e ddim dan amheuaeth,' meddai'n bendant, 'dim amheuaeth o gwbl. Gelli di ymddiried yn llwyr ynddo. Jim Wiliams yw pennaeth lluoedd cudd Cymru sy'n gyfrifol am ddiogelwch y Sialens.'

Rhedodd Twm yn ôl i'r stryd lydan. Ar ben y lôn, trodd i edrych yn ôl ond roedd Gelert wedi diflannu.

12

Merlota

Doedd dim sôn am Wncl Jim yn unman ar ôl i ras y merched orffen.

'Ble yn y byd mae Dad?' holodd Catrin mewn penbleth.

Ddywedodd Alun 'run gair, ond roedd ei amheuon am Wncl Jim yn cynyddu bob munud. Meddyliodd pa mor aml y byddai Wncl Jim yn derbyn galwadau ffôn. Neidiodd syniad i'w feddwl. Bob tro roedd rhywbeth yn mynd o'i le yn y Sialens, byddai Wncl Jim ar y ffôn. Oedd yna ryw gysylltiad, tybed? Doedd Alun ddim eisiau meddwl am y peth!

'Dw i'n llwgu,' cwynodd Jac. Roedden nhw wedi cyrraedd y stondin pysgod a sglodion lle roedd Twm wedi gweld Gelert yn sefyll. 'Dw i'n mynd i gael sglodion,' meddai Jac yn bendant, ac aeth i sefyll yn y ciw. Dilynodd y ddau arall ef. Roedd oriau wedi mynd heibio ers iddyn nhw gael brecwast! Roedd y ciw'n hir, ac fel roedden nhw ar fin cyrraedd y cownter, meddai llais mawr o'r tu ôl iddyn nhw, 'Bocs mawr o bysgod a sglodion i minnau hefyd, os gwelwch yn dda.'

Roedd Wncl Jim wedi dod 'nôl!

'Dylech chi aros eich tro,' meddai menyw oedd yn sefyll y tu ôl i'r plant yn y ciw, ond chymerodd Wncl Jim ddim sylw ohoni.

'Ble fuest ti, Dad?' gofynnodd Catrin wrth iddyn nhw fwynhau eu cinio, a'r cŵn yn ceisio dwyn sglodyn neu ddau.

'Mm, mae'r sglodion yma'n flasus,' meddai Wncl Jim.

Roedd y glaw wedi peidio a'r haul wedi torri trwy'r cymylau. Dechreuodd y plant chwysu yn eu dillad glaw. Yn sydyn daeth y sgriniau mawr yn fyw eto, a chyhoeddodd llais Rhion Wiliam, 'Mae Sialens y dynion ar fin cychwyn!'

Tyrrodd tyrfa fawr o bobl i gymryd eu lle o flaen y sgriniau.

'Y cystadleuydd cyntaf yn ras y dynion fydd Osian Llew!' meddai Rhion Wiliam. 'Cymru am byth! Cymru am y Sialens!'

'Hwrê!' gwaeddodd pawb o gwmpas y sgrin fawr. 'Cymru am y Sialens!'

Erbyn hyn roedd y cystadleuwyr o'r gwahanol wledydd yn dechrau dod yn ffrindiau, a'r tu ôl i Osian Llew safai Hiram Shanks o'r Unol Daleithiau a Canbek Polat o Dwrci, y ddau'n gwenu a churo dwylo. Gwisgai Osian Llew wisg nofio a helmed â chenhinen Bedr arni a snorcel yn ymestyn allan o'r helmed. Cymerodd naid fawr i mewn i'r ffos a saethodd dŵr mwdlyd allan nes gwlychu ei wrthwynebwyr a phawb oedd yn sefyll o amgylch! Am eiliad cafodd pawb gymaint o syndod nes bod tawelwch llwyr. Yna dechreuodd pawb chwerthin, a gweiddi, 'Osian! Osian! Osian am y Sialens!'

Cwblhaodd Osian y cwrs mewn amser da; daeth allan o'r dŵr a lapio'r flanced ffoil arian amdano â gwên fawr ar ei wyneb. Tro Canbek Polat oedd hi nesaf, a chyn i neb allu symud o'r ffordd, rhoddodd yntau hefyd naid enfawr, a gwlychu pawb unwaith eto! Wedi hynny, gwnaeth pob cystadleuydd yr un peth. Dechreuodd y dyrfa weiddi wrth i bob cystadleuydd ddod at ymyl y ffos, 'Nei-dia! Nei-dia!' a bloeddio 'Hwrê!' fawr pan godai'r sblash enfawr.

Roedd Jac wrth ei fodd. 'Dw i'n meddwl mai Huang Enlai neidiodd bella!' mynnodd.

Huang Enlai oedd y cystadleuydd olaf, ac ar ddiwedd ei ras dringodd allan o'r dŵr yn wên o glust i glust. Roedd y cystadleuwyr i gyd wrth ymyl y ffos, rhai wedi newid a rhai'n dal yn eu dillad nofio. Yn sydyn gwaeddodd Osian Llew, 'Dewch, fechgyn!' a neidiodd pob un o'r dynion i mewn i ddŵr mwdlyd y ffos unwaith eto!

'Da iawn, Osian Llew!' meddai Rhion Wiliam. 'Rwyt ti wedi dangos cymaint o hwyl yw cystadlu yn Sialens Ieuenctid y Byd! Cystadlu'n frwd a gwneud ffrindiau o bob rhan o'r byd! Dyna yw llwyddiant y Sialens yng Nghymru!'

Dechreuodd y dyrfa a safai o flaen y sgriniau mawr deneuo a gwasgaru.

'Dewch, blant!' meddai Wncl Jim. 'Mae'n bryd i ni gychwyn yn ôl.'

Yn y car ar y ffordd i'r bwthyn, sylweddolodd Alun nad oedd wedi clywed pwy oedd wedi ennill Sialens y dynion. Edrychodd ar ei App a darllen y canlyniadau – yn gyntaf, Canbek Polat, yn ail, cystadleuydd o Fecsico, ac yn drydydd, Hiram Shanks o'r Unol Daleithiau. Doedd Osian Llew ddim wedi ennill, ond ef oedd seren y ras ym marn Alun! Wedi'r digwyddiad cas ar ddiwedd ras y merched, roedd wedi gwneud y Sialens yn hwyl i bawb!

'Nos fory mae Sialens y Mynydd,' meddai Wncl Jim. 'Rhaid i ni chwilio am safle da i wylio'r ras. Does dim tocynnau gyda ni, ond mae'n siŵr y cawn ni le i wylio'r rhedwyr yn mynd heibio yn rhywle. Bydd hynny'n golygu bod allan yn hwyr, wrth gwrs – dyw'r ras ddim yn cychwyn tan hanner nos.' Gwenodd. 'Fyddai'n well gyda chi fynd i'r gwely?' gofynnodd yn slei.

'Dw i eisiau gweld y ras,' meddai Jac ar unwaith, a chytunodd pawb.

'Wyt ti'n cofio bod Alun a fi'n mynd i ferlota fory, Dad?' meddai Catrin.

'Mynd i ferlota? Na, do'n i ddim yn cofio,' meddai Wncl Jim. 'Yn Ffynnon y Benglog, wyt ti'n feddwl? Dw i ddim yn siŵr . . .'

'Pam lai? Dw i wedi bod yn edrych ymlaen.'

'Wel, fydd dim llawer o amser . . .'

'Dad, dw i eisiau mynd i ferlota!' meddai Catrin yn bendant.

Ddywedodd Wncl Jim 'run gair, ond wrth weld ei wyneb yn nrych y gyrrwr, gallai Alun weld ei fod yn anfodlon.

Er hynny, y bore wedyn, roedd Wncl Jim yn ei hwyliau gorau, a mynnodd wneud brecwast enfawr o gig moch ac wy i bawb.

'Fe awn ni i gyd draw i Ffynnon y Benglog,' meddai. 'Bydd yn gyfle i Jac a fi fynd â'r cŵn am dro.'

Roedd hi'n ddiwrnod braf, a chychwynnodd pawb allan am hanner awr wedi naw. Gwisgai Alun a Catrin hen ddillad, ac roedden nhw'n bwriadu hurio hetiau caled oddi wrth Ros. Roedd Catrin wedi gofalu dod â hufen haul hefyd. Roedd Ros yn disgwyl amdanyn nhw. Edrychai'n llai gwelw na'r tro cynt, ac roedd ei llygaid yn disgleirio.

Rhaid ei bod hi'n edrych ymlaen at gael diwrnod i ffwrdd oddi wrth yr hen Sam diflas 'na, meddyliodd Alun.

Roedd dau ferlyn tawel yn barod ar gyfer Alun a Catrin, ynghyd â merlyn arall i Ros ei hun. Edrychodd Wncl Jim ar y merlod a holi Ros yn fanwl pa ffordd roedden nhw'n mynd a pha bryd fydden nhw'n ôl.

'Fyddwn ni ddim yn gallu mynd ar Bumlumon oherwydd paratoadau'r Sialens,' meddai Ros. 'Fe arhoswn ni o gwmpas y dyffryn. Fe fyddwn ni'n ôl yma tua dau o'r gloch.'

Cychwynnodd Ros ac Alun a Catrin ar gefnau eu merlod. Teimlai Alun braidd yn nerfus, oherwydd doedd e ddim wedi bod yn merlota o'r blaen, ond yn fuan sylweddolodd fod ei ferlyn yn dawel ac yn gyfarwydd â'r ffordd. Dechreuodd fwynhau'r teimlad o farchogaeth trwy gwm hardd gyda Catrin wrth ei ochr. Roedd Catrin wrthi'n sgwrsio â Ros, a Ros yn holi Catrin am ei bywyd yng Nghaerdydd a'r gwyliau yn y bwthyn. Sylwodd Alun nad oedd Ros yn dweud dim amdani ei hun o gwbl . . .

'Ble mae Sam heddiw?' gofynnodd.

Tywyllodd wyneb Ros ar unwaith. 'Aeth e allan yn gynnar y bore 'ma,' meddai. 'Dw i'n falch o gael llonydd. Er ei fod e'n frawd i mi, mae'n anodd weithiau . . .' Daeth dagrau i'w llygaid.

Roedd Jac wedi meddwl mai'r cynllun oedd y byddai ef ac Wncl Jim yn mynd â'r cŵn am dro hir tra oedd Alun a Catrin yn merlota, ond troi'n ôl am y bwthyn ar unwaith wnaeth Wncl Jim.

'Beth am i ni fynd â'r cŵn am dro'n gynta?' gofynnodd Jac. 'Mae'n ddiwrnod braf.'

'Mae gen i sawl galwad ffôn i'w gwneud heddiw,' meddai Wncl Jim braidd yn swta. Yna ychwanegodd yn ysgafnach, 'A rhaid i ni orffwys os ydyn ni'n mynd i fod allan y rhan fwyaf o'r nos, cofia.'

Dw i ddim eisiau gorffwys trwy'r dydd, meddyliodd Jac yn flin, ond ddywedodd e 'run gair. Cyrhaeddon nhw'n ôl i'r bwthyn, ac fel roedden nhw'n mynd i mewn trwy'r drws, canodd ffôn Wncl Jim.

'Fydda i ddim yn hir,' meddai wrth Jac, a diflannu i'w stafell wely.

Doedd gan Jac ddim byd i'w wneud. Aeth i mewn i'r lolfa, ond doedd Sianel y Sialens ddim yn darlledu eto. Yn nes ymlaen byddai'n dangos uchafbwyntiau'r Sialens hyd yn hyn, ond gwyddai Jac y byddai wedi gweld y rheini i gyd yn barod gan ei fod wedi dilyn y cystadlu mor agos. Gwelodd y rhaglen roedd Alun wedi'i phrynu ar y bwrdd isel yn y lolfa. Agorodd hi ar y ddalen am Sialens y Mynydd.

Sialens y Mynydd.
Unwaith eto, bydd pob cystadleuydd o bob gwlad yn cymryd rhan yn hon. Rhaid i'r rhedwyr redeg i gopa Pumlumon Fawr. Mae

hon yn ras arbennig oherwydd bydd yn cael ei chynnal yn y nos. Bydd cyfarwyddiadau a goleuadau ar hyd y cwrs, a bydd yn ddiddorol gweld pa gystadleuwyr fydd yn ymdopi orau â'r amodau arbennig.

Pwy yw'r ffefrynnau? Wrth gwrs, mae rhedwyr Ethiopia'n enwog am redeg pellteroedd hir a rhedeg mynydd, ac mae Amira Dabir wedi ennill nifer sylweddol o rasys eleni. Beth am ras y dynion? Mae Conan Munro o'r Alban yn rhedwr profiadol, ac mae Huang Enlai o China a Johnson Dwight o'r Unol Daleithiau bob amser yn cystadlu'n frwd dros eu gwledydd.

Yn sydyn, glaniodd pêl goch ar y ddalen roedd Jac yn ei darllen. Roedd Ffranco eisiau i Jac ddod allan i'r ardd i chwarae. Ceisiodd Jac wthio'r bêl i ffwrdd, ond roedd Ffranco'n benderfynol. Doedden nhw ddim wedi bod am dro hir y bore hwnnw, a nawr roedd Jac yn eistedd yn y lolfa. Pam yn y byd roedd e'n gwastraffu diwrnod braf yn eistedd yn y tŷ, yn hytrach na chwarae ar y lawnt gyda Ffranco?

O'r diwedd bu'n rhaid i Jac ildio ac aeth allan. Taflodd y bêl i ben pella'r ardd, a rhedodd Ffranco fel fflach ar ei hôl. Eisteddai Twm wrth ymyl Jac yn gwylio Ffranco'n rhuthro o gwmpas. Yna cerddodd yn hamddenol i ganol y lawnt. Pan daflodd Jac y bêl y tro nesaf, daliodd Twm hi'n daclus yn ei geg. Chwarddodd Jac.

'Ti'n gweld, Ffranco?' meddai. 'Does dim rhaid i ti redeg o gwmpas fel rhywbeth gwyllt i ddal y bêl.'

Am ddau o'r gloch roedd Jac yn eistedd yn yr ardd, a Twm a Ffranco wrth ei draed. Roedd Ffranco'n cysgu'n drwm, wedi blino'n lân ar ôl bore prysur. Doedd Jac ddim wedi gweld golwg o Wncl Jim; gallai ei glywed yn siarad ar y ffôn, ond roedd ei lais yn rhy dawel i Jac ddeall beth oedd e'n ei ddwcud.

Roedd Jac ei hun yn pendwmpian pan gyrhaeddodd Alun a Catrin yn ôl. Roedd hi'n amlwg eu bod nhw wedi mwynhau eu profiad.

'Ew, dw i jest â llwgu,' meddai Alun. 'Dylet ti fod wedi dod. Byddet ti wedi mwynhau. Mae merlota'n hwyl!'

Eisteddodd Catrin ar y lawnt wrth ymyl Jac. 'Dw i'n gwybod y bydd fy nghyhyrau i gyd yn boenus fory, ond ces i amser gwych,' meddai. Yna edrychodd o'i chwmpas. 'Ble mae Dad?' gofynnodd.

'Ar y ffôn,' atebodd Jac. 'Mae e wedi bod ar y ffôn bron trwy'r dydd.'

Edrychodd Alun ar Jac. Oedd yna dinc rhyfedd yn llais Jac? Oedd Jac hefyd yn dechrau amau Wncl Jim? Aeth Alun i'r gegin i wneud brechdanau, a'i feddwl yn troi.

Asiant Bedwyr

Trwy'r bore, bu Twm yn disgwyl am neges oddi wrth Gelert yn dweud ei fod wedi cyrraedd ardal Pumlumon. Roedd Twm a Ffranco wedi bod yn cynllunio sut y gallai Twm sleifio allan i gyfarfod â Gelert cyn y Sialens. Ond ddaeth 'run gair oddi wrth Gelert. Unwaith neu ddwy ceisiodd Twm gysylltu ag ef, ond doedd dim ateb. Dechreuodd Twm bryderu. Doedd e erioed yn cofio Gelert yn methu ateb galwad o'r blaen.

Ar ôl i Alun a Catrin ddod adre o'r merlota, dywedodd Wncl Jim wrth y plant am fynd i orffwys am dipyn gan y bydden nhw'n aros ar ddihun trwy'r nos. Doedd Jac ddim eisiau mynd i orwedd ar ei wely, a dewisodd eistedd mewn cornel cysgodol o'r ardd, a Twm a Ffranco gydag ef. Yn sydyn, dirgrynodd coler Twm. Edrychodd ar Ffranco, a gweld bod y golau coch ar goler Ffranco'n fflachio hefyd. Roedd neges yn dod i'r ddau ohonyn nhw!

Gan fod Jac yn hanner-cysgu, dyma'r ddau'n sleifio i ffwrdd i ran arall o'r ardd er mwyn derbyn eu negeseuon.

'Tonfedd C4. Asiant Bedwyr yn galw pob asiant. Asiant Bedwyr yn galw pob asiant. Cyhoeddiad pwysig. Cyhoeddiad pwysig. Mae Gelert wedi ymddiswyddo o fod yn bennaeth C4. Fi, Asiant Bedwyr, yw'r pennaeth newydd. Byddaf yn disgwyl i bob asiant ufuddhau i 'ngorchmynion i. Byddaf yn rhoi cyfarwyddiadau unigol i bob asiant heddiw. Drosodd ac allan.'

13

Sialens y Mynydd

Ychydig funudau cyn hanner nos ar y nos Wener, safai Alun, Jac a Catrin ar lethrau Pumlumon yn aros yn eiddgar i Sialens y Mynydd ddechrau. Edrychai Jac a Catrin yn gyffrous tua'r dde, lle byddai'r rhedwyr yn ymddangos, ond canolbwyntiai Alun ar App y Sialens ar ei ffôn. Gwyddai y gallai dracio'r rhedwyr, ond doedd y ras ddim wedi dechrau eto. Heb fod ymhell i ffwrdd roedd Wncl Jim, fel arfer, yn siarad ar ei ffôn yntau.

Roedd hi'n noson gymylog, dywyll, ond yn ffodus doedd hi ddim yn glawio. Gwisgai Catrin, Jac ac Alun siwmperi cynnes, ac roedd côt law gan bob un wedi'i chlymu am ei ganol. Roedd y tri ohonyn nhw'n gyfarwydd â byw mewn tref, lle roedd digonedd o oleuadau stryd, ond roedd y tywyllwch ar lethrau'r mynydd yn ddudew, heblaw am y mannau lle roedd trefnwyr Sialens y Mynydd wedi gosod goleuadau ar hyd y cwrs i helpu'r rhedwyr ar eu ffordd.

Roedd Wncl Jim wedi mynnu bod y plant yn gorffwys gyda'r nos, gan ddweud ei fod ef ei hun yn mynd i wneud hynny, er eu bod yn gallu ei glywed yn siarad ar y ffôn yn ei stafell trwy gydol yr amser. Yna cawson nhw swper cyn cychwyn allan. Roedd Wncl Jim wedi rhybuddio'r plant y byddai'n rhaid i Twm a Ffranco aros yn y sièd tra oedden nhw allan. Teimlai Alun braidd yn euog wrth osod basged Twm yn y sièd unwaith eto, ond er syndod iddo gorweddodd yr hen gi'n dawel yno ar unwaith, a gwnaeth Ffranco'r un peth!

'Beth sy'n bod ar Ffranco?' gofynnodd Jac yn syn.

'Rhaid ei fod e wedi blino,' atebodd Catrin gan chwerthin.

Roedd Wncl Jim wedi dewis man tua hanner ffordd ar hyd y cwrs iddyn nhw sefyll i wylio'r ras. Roedd tyrfa wedi dod o Aberystwyth a'r pentrefi cyfagos, ac o fannau eraill yn y Canolbarth, i wylio'r ras yn cychwyn, ond doedd dim llawer o neb ymhellach ymlaen ar y cwrs. A dweud y gwir, synnai Alun nad oedd y swyddogion diogelwch yn ei anfon ef a'i ffrindiau i ffwrdd, ond rywsut cawson nhw aros.

Ar ei waethaf, allai Alun ddim llai nag amau Wncl Jim. Doedd e ddim wedi sôn gair wrth y plant bod y cyfrifiadur yn gweithio'n iawn. Beth oedd ganddo i'w guddio? A pham oedd e'n siarad yn ddi-baid ar ei ffôn? Â phwy oedd e'n siarad? Roedd Alun wedi sylwi ei fod yn gwneud a derbyn galwadau'n amlach hyd yn oed nag arfer pan oedd un o'r Sialensiau'n digwydd. Beth allai hynny'i olygu? Oedd Wncl Jim yn cynllwynio, neu hyd yn oed yn gyfrifol am . . ? PAID Â MEDDWL YMHELLACH! meddai Alun wrtho'i hun.

Yn sydyn daeth sŵn gweiddi mawr o'r dde, o gyfeiriad godre'r mynydd. Edrychodd Alun ar ei wats. Hanner nos yn union! Rhaid bod y ras wedi cychwyn! Ras y merched oedd hon, ac edrychai Jac yn eiddgar at weld y rhedwyr cyntaf yn ymddangos.

'Dw i'n siŵr y bydd Sara Santorina'n gwneud yn dda,' meddai'n gyffrous. 'Pan o'n i'n siarad â hi . . .'

Byth ers iddo gyfarfod ag aelodau tîm America yn Aberystwyth, roedd bron pob brawddeg

151

oedd yn dod allan o geg Jac yn cynnwys enw
Sara Santorina! Gwenodd Catrin ac Alun ar ei
gilydd y tu ôl i'w gefn.

'Dw i'n meddwl mai un o redwyr Ethiopia
fydd yn ennill,' meddai Alun. 'Maen nhw'n
rhedwyr cryf iawn, ac mae Amira Dabir wedi
ennill un ras yn y Sialens yn barod.'

'Hoffwn i weld rhywun o Gymru'n ennill,'
meddai Catrin, 'ond os nad oes Cymraes yn
ennill, hoffwn i weld Li Bao o China'n gwneud
yn dda. Mae hi'n gwenu mor hapus bob
amser!'

Edrychodd Alun draw ar Wncl Jim. Roedd e wedi gorffen siarad ar y ffôn, a syllai i lawr y mynydd yn disgwyl i'r rhedwyr gyrraedd. Yna edrychodd o'i gwmpas i bob cyfeiriad, fel petai'n chwilio am rywun.

Roedd y fonllef gyntaf wedi tawelu, ac erbyn hyn roedd y rhedwyr ar eu ffordd. Ceisiodd Alun ddilyn eu hynt ar yr App, un ar ôl y llall. Kylie Dafis, Megan Haf, Amira Dabir, Sara Santorina – roedd yn gwbl amlwg eu bod nhw i gyd yn rhedeg yn go agos at ei gilydd hyd yn hyn. Cyn hir, byddai'r goreuon yn dechrau tynnu i ffwrdd oddi wrth y gweddill. Yn anffodus, lle roedd y plant yn sefyll ar y cwrs doedden nhw ddim yn gallu clywed Bethan, y sylwebydd rhedeg.

Gallen ni fod wedi gweld mwy petaen ni wedi aros yn y bwthyn a gwylio'r ras ar Sianel y Sialens, meddyliodd Alun.

Crynai Catrin wrth ei ochr. 'Ych a fi, mae hi'n oer,' cwynodd.

Ar waethaf ei ddillad cynnes, gallai Alun hefyd deimlo'r oerfel yn codi o'r ddaear wrth iddyn nhw sefyllian ar y llethr tywyll.

Dechreuodd dracio'r rhedwyr eto, ac roedd yn amlwg bod Megan Haf yn syrthio'n ôl. Dyw hi ddim wedi cael Sialens dda, meddyliodd Alun. Eitha siomedig fu ei pherfformiad hyd yn hyn, gyda Kylie Dafis yn gwneud rhywfaint yn well. Roedd rhai o'r merched wedi cyrraedd y man cyntaf lle roedd swyddogion y ras yn cofnodi eu lleoliad wrth iddyn nhw fynd heibio. Fflachiodd yr ystadegau ar y sgrin:

```
1 Amira Dabir
2 Fanny De Jong
3 Sara Santorina
4 Kylie Dafis
5 Li Bao
```

Dangosodd Alun y sgrin i Jac. 'Mae Sara Santorina'n drydydd,' meddai. 'Wedi iddyn nhw basio'r man cofnodi nesaf, dylen ni allu eu gweld nhw'n dod.'

Anghofiodd Catrin ei bod hi bron â fferru, a dechreuodd syllu i lawr y llethrau gan obeithio gweld y rhedwyr, ac aeth Alun yn ôl at y tracio. Roedd Amira Dabir yn amlwg ymhell ar y blaen erbyn hyn, felly trodd Alun ei sylw i dracio Kylie Dafis. O na! Roedd fel petai hi wedi stopio! Oedd hi wedi syrthio, tybed?

Cyrhaeddodd y rhedwyr yr ail fan cofnodi, a fflachiodd yr wybodaeth ar y sgrin.

```
1 Amira Dabir
2 Sara Santorina
3. Li Bao
4 Fanny De Jong
```

'Grêt!' gwaeddodd Jac yn hapus, 'mae Sara'n ennill tir! Mae hi'n siŵr o ennill!'

Yn sydyn, meddai Catrin, 'Dw i'n gweld rhywbeth . . .' ac yn fuan dechreuodd goleuadau ddawnsio yn y tywyllwch, ymhell i ffwrdd yn gyntaf, yna'n dod yn nes ac yn nes. Roedd Sianel y Sialens wedi gosod eu camerâu ar ddau gerbyd mynydd arbennig, a'r rheiny'n gwneud eu gorau i ddilyn y rhedwyr. Byddai un yn dilyn yr arweinwyr, a'r llall yn aros gyda'r rhai oedd ymhellach yn ôl.

'Dyma un ohonyn nhw!' meddai Catrin yn sydyn wrth i'r rhedwraig gyntaf ymddangos.

'Amira Dabir yw hon!' meddai Jac, ac wrth iddi basio gwaeddodd y tri, 'Da iawn ti! Rhed! Rhed!'

'Hei, Dad,' meddai Catrin, 'mae Amira Dabir ymhell ar y blaen, on'd yw hi?'

Chafodd hi ddim ateb. Edrychodd Catrin o'i chwmpas. 'Ble mae Dad?' holodd mewn syndod.

Doedd dim sôn am Wncl Jim yn unman. Ond chafodd neb amser i feddwl nac i chwilio amdano, oherwydd ar y gair ymddangosodd Sara Santorina, gyda Li Bao ar ei sodlau. Roedd y ddwy'n canolbwyntio ar redeg yn ofalus a chyflym. Does dim camera'n eu dilyn nhw, meddyliodd Alun, felly rhaid eu bod nhw gryn dipyn ar y blaen i'r prif grŵp o redwyr.

'Pob lwc, Sara!' gwaeddodd Jac, gan neidio i fyny ac i lawr.

'Pob lwc, Li Bao!' galwodd Catrin, ychydig yn fwy tawel.

Trodd Sara tuag atyn nhw a gwenu, a chododd Li Bao ei llaw i gydnabod eu cefnogaeth.

Aeth ychydig amser heibio, ond doedd dim sôn am Wncl Jim. Yna daeth grŵp mawr o redwyr i'r golwg. Yn eu harwain roedd Fanny de Jong o'r Iseldiroedd a Mairi Macshane o'r Alban. Edrychai'r ddwy'n flinedig, ac roedd llawer o'r rhedwyr yn amlwg dan straen.

Mae hi wedi bod yn wythnos hir iddyn nhw, meddyliodd Alun.

Gwyddai'r plant y bydden nhw'n cyrraedd y trydydd man cofnodi'n fuan, a chyn i'r prif grŵp orffen pasio, fflachiodd y sgrin.

```
1 AMIRA DABIR
2 MAIR MACSHANE
3 FANNY DE JONG
```

'Ond beth am Sara Santorina a Li Bao?' holodd Alun mewn syndod. 'Ydyn nhw wedi syrthio? Beth sydd wedi digwydd iddyn nhw?'

'Dw i'n mynd i weld,' meddai Jac yn benderfynol.

'Na, paid, fe ei di ar goll. Aros i Dad ddod yn ôl,' galwodd Catrin arno.

Ond roedd Jac eisoes wedi cychwyn. Doedd gan y ddau arall ddim dewis ond ei ddilyn. Allen nhw ddim gadael i Jac grwydro'r mynydd ar ei ben ei hun yng nghanol y nos. Ceision nhw ddilyn goleuadau'r cwrs rasio, ond roedd hi'n dywyll iawn mewn rhai mannau, a'r rhedwyr i gyd wedi hen ddiflannu erbyn hyn. Ymhen ychydig bu'n rhaid iddyn nhw aros i orffwyso tipyn.

'Glywsoch chi hynna?' holodd Alun yn sydyn.

'Beth?' meddai Catrin.

'Rhywun yn galw.'

Clustfeiniodd pawb. Ac fe glywodd y tri, 'Help! Help!' Oedd, roedd rhywun yn galw – roedd rhywun mewn trafferth!

Stryffaglodd y plant i gyfeiriad y sŵn, ond roedd hi'n dywyll fel y fagddu o'u cwmpas. Roedd yn rhaid iddyn nhw ofalu peidio â baglu ar y tir anwastad.

'Gwelais i rywbeth fanna,' meddai Jac yn sydyn, gan frysio yn ei flaen.

Dilynodd Alun a Catrin, ac yno o'u blaen gwelson nhw siâp cerbyd *Landrover*, â'i lampau blaen yn dangos golau gwan. Roedd pobl yn symud o amgylch y cerbyd, a sylweddolodd y plant fod rhai fel petaen nhw'n ceisio dianc oddi wrth y lleill.

'Hei!' gwaeddodd Jac, gan ruthro yn ei flaen.

'Catrin!' meddai Alun. 'Aros di yma. Gallai hyn fod yn beryglus.'

'Na, dw i'n dod gyda ti,' meddai Catrin yn bendant.

Daliai Jac i weiddi wrth redeg, ac roedd hi'n amlwg fod y bobl o gwmpas y cerbyd wedi ei glywed. Dechreuodd Alun weiddi hefyd. Gwelai mai pedwar o bobl oedd yno, ac wrth i'r plant nesáu dechreuodd dau ohonyn nhw redeg i ffwrdd i'r tywyllwch. Yng ngolau'r lampau, gallai'r plant weld mai Li Bao a Sara Santorina oedd ar ôl wrth y cerbyd!

'Beth . . ? Pam . . ?' Roedd Jac wedi colli'i anadl yn llwyr ac yn stryffaglu i siarad.

'Eglurwn ni wedyn. Rhaid i ni redeg y ras. Pa ffordd?' gofynnodd Sara Santorina mewn brys mawr.

'Ffordd hyn,' meddai Jac, a dechrau rhedeg yn ôl i gyfeiriad y cwrs. Gafaelodd Sara yn llaw Li Bao a'i thynnu ar ei hôl.

Gwyliodd Alun a Catrin nhw'n mynd.

'Wyt ti'n meddwl bod ganddyn nhw unrhyw obaith o ddal y lleill?' gofynnodd Catrin yn bryderus.

'Wn i ddim, ond gwell i ni fynd i chwilio am swyddogion i ddweud wrthyn nhw beth ddigwyddodd,' meddai Alun.

Trodd y ddau – a sefyll yn eu hunfan mewn arswyd. Roedd rhywun yn anelu gwn yn syth atyn nhw.

'Na, chewch chi ddim dweud gair wrth neb,' meddai llais cyfarwydd. 'Peidiwch â symud cam.'

Asiant Twm yn gweithredu

Doedd Ffranco erioed wedi cael diwrnod mor gyffrous. O'r eiliad y derbyniodd ef a Twm y neges ddychrynllyd oddi wrth Bedwyr, roedd Twm wedi bod yn cynllunio'n ofalus, a dysgodd Ffranco sut roedd asiant da'n gweithredu. Roedd Twm wedi bod yn asiant ffyddlon ers blynyddoedd, ac roedd yn barod i wynebu unrhyw argyfwng.

Yn gyntaf, bu'r ddau'n trafod y sefyllfa. Roedd llygaid Ffranco fel soseri! Dyma'i gyfle i gydweithio â Twm, ei arwr, a chwarae rhan bwysig yng ngwaith C4.

'Dw i ddim yn credu am eiliad bod Gelert wedi ymddiswyddo,' meddai Twm. 'Rhaid ei fod wedi cael ei herwgipio neu ei niweidio, a dw i'n siŵr fod gan Bedwyr ran yn y peth. Roedd gan Gelert ei amheuon am Bedwyr, a rhaid ei fod yn iawn.' Ysgyrnygodd Twm ei ddannedd. Yna meddai'n dawel, 'Beth ddylen ni'i wneud, felly?'

Ddywedodd Ffranco ddim byd, dim ond syllu ar Twm.

Aeth Twm ymlaen, 'Wel, rhaid i ni ddod o hyd i

Gelert. Ond yn gyntaf, rhaid i mi gymryd drosodd fel pennaeth C4, yn ôl gorchymyn Gelert. Rhaid i mi gysylltu â phob asiant sy'n gweithio ar y Sialens a dweud wrthyn nhw mai dyna oedd dymuniad Gelert. Rhaid i mi eu siarsio i beidio ag ufuddhau i Bedwyr.'

Ac am awr gyfan, fe fu Twm yn anfon neges bersonol at bob un o'r asiantau. Yn fuan dechreuodd dderbyn atebion – gan Asiant Deina, Asiant Dai, Asiant Elen, Asiant Barri a llawer mwy. Roedden nhw i gyd yn parchu Twm ac yn barod i ufuddhau iddo. Doedd neb yn deyrngar i Bedwyr.

Er hynny, gwnaeth Bedwyr ei orau i ddal ei dir. Ceisiodd berswadio'r asiantau ifanc, gan gynnwys Ffranco.

'Tonfedd C4. Bedwyr yn galw Asiant Ffranco. Bedwyr yn galw Asiant Ffranco.

'Anghofia am Gelert ac am Asiant Twm. Bradwyr ydyn nhw. Dilyna fi. Fi yw'r dyfodol. Os wyt ti'n fy nilyn i, fe gei di fywyd da . . .'

Atebodd Ffranco.

'Tonfedd C4. Asiant Ffranco'n galw Bedwyr. Asiant Ffranco'n galw Bedwyr.

'Ti yw'r bradwr. Dw i'n bwriadu dilyn Twm a Gelert. Drosodd ac allan.'

Cyn gynted ag yr oedd Twm yn fodlon ei fod wedi rhoi stop ar gynlluniau Bedwyr, trodd ei sylw at ddod o hyd i Gelert. O bryd i'w gilydd yn ystod y dydd, roedd wedi ceisio cysylltu ag ef, ond doedd dim ateb.

Unwaith eto, bu ef a Ffranco'n trafod.

'Y tro diwethaf i mi siarad â Gelert,' meddai Twm, 'dywedodd ei fod ar ei ffordd i'r Canolbarth, i ardal Pumlumon. Roedd wedi cael adroddiad gan Asiant Harri, yn awgrymu bod rhywbeth amheus yn digwydd yn Ffynnon y Benglog. Tybed ai dyna lle mae Gelert wedi mynd?'

'Fe af fi draw ar unwaith i chwilio amdano,' awgrymodd Ffranco. Roedd e ar dân eisiau helpu.

'Na, rhaid i ni beidio â gwylltio,' meddai Twm yn ddoeth. 'Heno, pan fydd y plant yn mynd i'r Sialens, fe gawn ni gyfle i sleifio draw.' Meddyliodd am funud. 'Ac fe wna i anfon neges at yr asiantau i gyd sydd yn y cyffiniau i ddweud wrthyn nhw am fod yn barod i ddod draw os bydd angen.' Daeth cwmwl dros ei wyneb. 'Gobeithio y byddwn ni mewn pryd i achub Gelert,' meddai'n bryderus.

Gwnaeth Ffranco sŵn chwyrnu yn ei wddf ac meddai, 'Os oes rhywbeth wedi digwydd i Gelert, fe wna i, fe wna i . . .'

'Pwyll piau hi,' meddai Twm wrtho. 'Dyw asiant da byth yn gwylltio.'

Y noson honno, roedd Ffranco ar bigau'r drain eisiau cychwyn. O'r diwedd fe aeth pawb allan, gan adael y cŵn yn y sièd. Cyn gynted ag yr oedd y plant allan o'r golwg, dringodd Twm a Ffranco i fyny i'r ffenest a neidio allan. Brysiodd y ddau nerth eu pawennau i Ffynnon y Benglog.

'Gwell i ni gadw yn y cysgodion, rhag ofn fod rhywun o gwmpas,' meddai Twm wrth iddyn nhw nesáu.

Roedd y glwyd ar agor, ac edrychodd y cŵn i mewn i'r buarth gan guddio yng nghysgod y wal. Clustfeiniodd y ddau. Doedd dim sŵn i'w glywed yn unman.

'Dw i'n mynd i geisio cysylltu â Gelert unwaith eto,' sibrydodd Twm.

Safodd Ffranco'n dawel yn gwylio.

'Tonfedd C4. Asiant Twm yn galw Gelert. Asiant Twm yn galw Gelert. Wyt ti'n fy nghlywed i, Gelert? Drosodd.'

Dim ateb.

'Gelert, wyt ti'n clywed? Ateb os wyt ti'n clywed. Drosodd.'

Y tro hwn, daeth sŵn griddfan o rywle.

'Gelert?'

Clywsant y sŵn eto. Roedd yn wan iawn, ac fel petai ymhell i ffwrdd. Roedd Ffranco ar dân eisiau rhuthro i mewn i'r buarth i chwilio pob twll a chornel o'r lle.

'Aros,' meddai Twm. 'Dw i'n mynd i alw'r asiantau eraill i ofyn am help. Gallai hyn fod yn beryglus.'

Bu'n siarad yn dawel am ychydig, gan roi cyfarwyddiadau ar sut i gyrraedd a beth i'w wneud, yna llithrodd ef a Ffranco i mewn i'r buarth. Roedd hi'n dywyll iawn, a doedd neb o gwmpas.

'Gwell i ni weld a yw Gelert wedi'i garcharu yn un o'r siediau,' meddai Twm yn dawel.

Y tro hwn roedd y tair sièd ar agor, a chwiliodd y ddau gi bob cornel ohonynt yn gyflym. Sylwodd Ffranco fod y beiciau cwad wedi diflannu. Doedd dim sôn am Gelert. Aeth Twm tuag at y ffynnon. Cofiodd am Asiant Harri, a meddwl y gwaethaf. Ond doedd dim sôn am Gelert yno. Unwaith eto, ceisiodd gysylltu ag ef.

'Tonfedd C4. Asiant Twm yn galw Gelert. Asiant Twm yn galw Gelert. Wyt ti'n clywed, Gelert?'

'Yyyyyy . . .'

Y tro hwn roedd y sŵn griddfan yn uwch. Cerddodd Twm o gwmpas y ffynnon eto, ond doedd dim golwg o Gelert yn unman. Yna'n sydyn, clywodd sŵn cerbyd yn cael ei yrru'n ofalus ar hyd y lôn i'r fferm. Craffodd Twm arno.

'Da iawn, dyma gerbyd C4,' meddai'n dawel wrth Ffranco. Gwyliodd Ffranco wrth i nifer o gŵn neidio allan o gefn y cerbyd. Diflannodd hwnnw mor dawel ag y daeth, a llifodd y cŵn i mewn i'r buarth. Gwnaeth Twm arwydd a llithrodd y tri cyntaf draw ato.

'Rydyn ni ar drywydd Gelert. Rydyn ni'n agos iawn ato,' sibrydodd.

'Beth wyt ti eisiau i ni wneud?' Asiant Dai, y corgi, oedd yn holi.

'Dai, rhaid i ti gadw gwyliadwriaeth. Dewisa ddau o'r lleill i dy helpu. Asiant Cai, rhaid i ti a rhai o'r lleill amgylchynu'r tŷ rhag ofn bod rhywun y tu mewn yn barod i ymosod arnon ni. Asiant Elen, fe gei di a'r lleill fy helpu i a Ffranco i chwilio am Gelert.'

Roedd Ffranco wedi chwilio o gwmpas y ffynnon sawl gwaith. Yn sydyn, cafodd syniad. Pe bawn i'n neidio ar ben y wal, meddyliodd, gallwn i weld yn well. Paratôdd Ffranco i neidio. Yr eiliad honno, sylwodd Twm fod rhywbeth yn wahanol yn y ffynnon y tro hwn. Roedd y clawr wedi cael ei dynnu'n ôl ac roedd hanner y ffynnon yn agored.

'Paid, Ffranco!' galwodd. Ond roedd e'n rhy hwyr. Neidiodd Ffranco i ben y wal – a diflannu i mewn i'r ffynnon!

'Ffranco!' galwodd Twm. 'Ffranco! Wyt ti'n iawn?'

Doedd dim sŵn am eiliad, yna clywodd lais Ffranco, yn llawn cyffro.

'Ydw, dw i'n iawn, dw i wedi glanio mewn mwd. Ond mae Gelert yma hefyd! Mae e wedi'i anafu, dw i'n meddwl, ond mae e'n fyw!'

Rhuthrodd Elen, Cai a sawl un o'r cŵn eraill i ymyl y ffynnon. Ceisiodd y cŵn talaf edrych i mewn, ond doedd dim i'w weld ond tywyllwch dudew.

'Rhaid tynnu Gelert a Ffranco allan,' meddai Twm. 'Ond sut?'

Cyn i neb allu dweud dim, clywsant sŵn cerbyd arall yn teithio'n gyflym a swnllyd ar hyd y lôn.

'Cuddiwch!' gorchmynnodd Twm, a diflannodd pob un o'r cŵn i'r cysgodion.

'Ffranco,' galwodd Twm yn dawel, 'mae rhywun yn dod. Paid â gwneud sŵn.'

Sgrialodd y cerbyd i mewn i'r buarth a stopio o flaen y tŷ. Neidiodd rhywun allan ac agor drws cefn y cerbyd gan ddweud yn gas, 'Allan â chi, a pheidiwch â mentro gwneud unrhyw beth gwirion.'

Syllodd Twm o'i gornel tywyll yn ymyl y ffynnon. Roedd e'n siŵr ei fod yn adnabod y llais, ond o'i guddfan allai e ddim gweld pwy oedd yn siarad. Ond gallai weld y ddau oedd yn dringo allan o gefn y cerbyd. Alun a Catrin oedden nhw! Ysgyrnygodd Twm ei ddannedd. Pwy oedd yn bygwth ei ffrindiau?

'Bydd pawb yn chwilio amdanon ni erbyn hyn,' meddai Alun.

Ceisiai ymddangos yn ddewr, ond roedd ei lais yn crynu, a gallai Twm weld ei fod ef a Catrin yn gafael yn dynn yn nwylo'i gilydd.

'Roedd fy nghynlluniau i'n berffaith,' meddai'r llais cas. 'Herwgipio Sara Santorina. Difetha'r Sialens i Gymru. Ac roedd y ferch o China gyda hi, felly cafodd hithau ddod hefyd. Ond yna roedd yn rhaid i chi blant fusnesa . . .'

Deallodd Twm mai'r Cudyll Coch oedd yn siarad. A nawr roedd e'n gwybod pwy oedd y Cudyll Coch hefyd – Ros, oedd bob amser mor ddiniwed yr olwg! Daeth hi i'r golwg yn dal y gwn yn ei llaw. Yng ngolau lampau'r car, gallai Twm weld bod ei llygaid yn filain a'i cheg yn un llinell galed. Roedd yr olwg ofnus a swil wedi diflannu. Beth oedd hi'n mynd i'w wneud? Penderfynodd Twm na allai oedi eiliad ymhellach.

'Daliwch hi!' gorchmynnodd.

Ac mewn llai nag eiliad roedd y buarth yn ferw gwyllt o gŵn o bob maint a siâp. Ffurfiodd chwech o'r cŵn mwyaf gylch tynn o amgylch Alun a Catrin i'w cadw'n ddiogel, a rhuthrodd Asiant Dai yn syth at Ros. Camodd honno'n ôl – a baglu dros Asiant Elen. O fewn dim roedd Asiant Barri, y mwyaf o'r cŵn, yn eistedd ar ei bol fel na allai hi godi. Wrth iddi syrthio, roedd y gwn wedi disgyn o'i llaw, felly

gafaelodd Asiant Cai ynddo yn ei geg a'i gadw'n ddiogel.

Ond nawr roedd rhagor o gerbydau'n cyrraedd – tri ohonyn nhw. O na! Oedd rhai o giang y Cudyll Coch yn dod i'w helpu, tybed?

'Byddwch yn barod i ymladd!' gorchmynnodd Twm. 'Dros C4, dros Gelert!'

Pan neidiodd Wncl Jim a Jac allan o'r cerbyd cyntaf, safai carfan gref o gŵn yn rhes o'u blaenau'n ysgyrnygu dannedd a chyfarth arnyn nhw, yn barod i ymladd dros eu pennaeth. Ond pan welodd Twm pwy oedd yno, cyfarthodd orchymyn i'r lleill i ymatal ar unwaith, a chymerodd gam ymlaen.

'Twm!' meddai Jac ac Wncl Jim gyda'i gilydd.

Edrychodd Wncl Jim o'i gwmpas a gweld bod Alun a Catrin yn ddiogel dan ofal y cŵn. Gwelodd Ros yn gorwedd ar y llawr, ac Asiant Barri yn gorwedd drosti.

'Plîs helpwch fi!' llefodd Ros yn druenus. 'Mae'r cŵn yma'n ymosod arna i . . .'

'Paid â gwrando arni, Dad,' torrodd Catrin ar ei thraws. *'Hi* herwgipiodd *ni*, ac roedd hi'n mynd i . . .' Methodd fynd ymlaen, ac roedd ei thad wrth ei hochr mewn llai nag eiliad, yn ei chofleidio.

Yna dechreuodd Wncl Jim roi cyfarwyddiadau i'r swyddogion oedd gydag ef. Roedd ei lais yn awdurdodol a phendant, ac yntau'n gwbl wahanol i'r dyn lletchwith, ffwndrus roedd y plant yn gyfarwydd ag ef.

'Meinir a Trudy, ewch â hon i'r ddalfa!' gorchmynnodd, a rhuthrodd y swyddogion i afael yn gadarn ym mreichiau Ros. Roedd Alun yn eu hadnabod – y swyddog diogelwch o Lanelwedd oedd un ohonynt. A phrin allai Alun gredu ei lygaid pan welodd y llall. Roedd Alun wedi meddwl mai aelod o staff hyfforddi tîm America oedd hi – ac roedd Catrin wedi ei hamau o gynllwynio yn erbyn Sara Santorina!

'Huw, gofala am y gwn!' galwodd swyddog arall.

Prin y gallai Alun gredu beth oedd yn digwydd –
roedd yn amlwg fod y swyddogion i gyd yn
derbyn gorchmynion oddi wrth Wncl Jim! Ef oedd
eu pennaeth! Sut yn y byd allwn i byth fod wedi
amau Wncl Jim? meddyliodd Alun.

'Ble mae Ffranco?' holodd Jac yn sydyn, wrth
weld Twm.

Clywyd sŵn cyfarth gwyllt yn dod o'r ffynnon.
Roedd Ffranco wedi cadw'n dawel am amser hir,
ond wrth glywed llais Jac allai e ddim ymatal am
eiliad yn rhagor!

Rhedodd nifer o'r swyddogion draw at y
ffynnon, a tortsys yn eu dwylo. Dringodd un
i lawr yn gyflym a chario Ffranco allan dan
ei fraich. Roedd Ffranco druan yn llaid o'i ben i
flaen ei gynffon, ond roedd ei gynffon yn dal
i siglo'n ddi-baid gan daflu cawod o laid dros
bawb!

Aeth y swyddog yn ôl i mewn i'r ffynnon, a'r tro
hwn, yn ofalus iawn, iawn, clymodd raff am y ci
mawr oedd yn gorwedd yn llonydd ar y gwaelod.
Yn raddol, tynnwyd Gelert i fyny i'r wyneb.
Gafaelodd rhai o'r swyddogion eraill ynddo a'i roi
i orwedd ar flanced ar y buarth.

Plygodd Wncl Jim wrth ochr y bleiddgi mawr.
Clywodd Alun ef yn sibrwd yn dawel, 'Gelert?

Gelert wyt ti'n iawn? Diolch, gyfaill. Mae C4 wedi llwyddo unwaith eto!'

Cariodd y swyddogion y ci yn ofalus i un o'r cerbydau, a'r cŵn eraill yn ffurfio dwy res, un bob ochr i'w pennaeth. Roedd hi'n amlwg bod Gelert wedi ei anafu'n ddifrifol, ond wrth i'r swyddogion ei gario ar draws y buarth gwnaeth y ci mawr ei orau i godi'i ben i gydnabod ei asiantau dewr.

Gwyliodd Catrin wrth i Gelert gael ei osod yn ofalus ar sedd gefn un o'r cerbydau. Pan edrychodd Catrin yn ôl ar y buarth, Twm a Ffranco oedd yr unig gŵn oedd yno. Roedd y lleill i gyd wedi diflannu i dywyllwch Pumlumon . . .

14

Y bore wedyn

Hanner awr wedi wyth fore Sadwrn, roedd pawb yn gwbl effro yng nghegin y bwthyn. A dweud y gwir, doedd neb wedi cysgu winc drwy'r nos!

Roedd Wncl Jim wrthi'n berwi wyau, a Jac yn paratoi bara menyn i bawb. Roedd Trudy a Meinir, oedd newydd gyrraedd o Aberystwyth i gyflwyno adroddiad i Wncl Jim, yn mynd i gael brecwast gyda nhw.

'Mae Ros ar ei ffordd i Gaerdydd,' meddai Meinir, 'Mae hi'n dipyn o actores. Cymerodd arni ei bod yn ofnus a gwan, ond pan ddywedon ni wrthi ein bod wedi dod o hyd i'w brawd a'i fod e wedi dweud yr hanes i gyd, dechreuodd hi fytheirio a stryffaglu ac fe gawson ni dipyn o drafferth gyda hi. A phan welodd hi ein bod ni wedi dal y ddau ddihiryn arall ar y mynydd neithiwr, roedd hi'n gwybod bod y cyfan ar ben.'

Cofiodd Alun am y ddau roedd wedi eu gweld yn dianc i'r tywyllwch ar y mynydd.

'Ble daethoch chi o hyd i'w brawd?' gofynnodd Catrin. 'Do'n i ddim yn ei hoffi e. Roedd Ros yn dweud bod ofn ei brawd arni.'

'Celwydd oedd hynny,' meddai Trudy. 'Daeth ein swyddogion ni o hyd iddo yn seler y ffermdy. Roedd Ros a'i ffrindiau wedi'i gloi i mewn yno ers nos Iau.'

'Rhaid ei fod yno pan aethon ni draw i ferlota!' meddai Alun yn syn. 'Dywedodd hi ei fod wedi mynd allan yn gynnar!'

'Doedd gan Sam ddim rhan o gwbl yn y cynllun,' aeth Trudy ymlaen. 'Beth amser yn ôl, aeth Ros i ffwrdd i Loegr a gadael Sam i edrych ar ôl Ffynnon y Benglog. Fe gwrddodd hi â dyn o'r enw Antony Masters a syrthio mewn cariad ag e. Mae heddlu Canolbarth Lloegr yn gyfarwydd iawn ag Antony Masters a'i frawd, Jake. Rydyn ni wedi bod mewn cysylltiad â nhw'n barod.

'Doedd Sam ddim yn gwybod beth oedd Ros yn ei gynllunio, ond roedd e'n amau rhyw gynllwyn yn erbyn y Sialens. Mae Sam yn Gymro i'r carn. Roedd e'n siŵr fod Ros yn mynd i ddefnyddio'r beiciau cwad i ryw bwrpas drwg, ac fe wnaeth e ychydig o ddifrod i bob un, fel na fyddai neb yn gallu eu gyrru ymhell.'

'Dyna pam nad oedd e eisiau i ni eu defnyddio nhw,' meddai Jac. 'Chwarae teg i Sam.'

'Fe ddaethon ni o hyd i'r beiciau ar droed y mynydd neithiwr,' meddai Meinir. 'Gan fod nam arnyn nhw, roedd yn rhaid i Ros a'r lleill ddefnyddio'r cerbyd.'

Edrychodd Catrin ar Trudy. 'Do'n i ddim yn sylweddoli dy fod ti'n aelod o luoedd diogelwch Cymru,' meddai wrthi braidd yn swil.

Chwarddodd Wncl Jim. 'Roedd Catrin yn meddwl dy fod ti'n gymeriad amheus, Trudy,' meddai.

'Mae'n ddrwg gen i,' meddai Trudy. 'Ro'n i wedi cael fy siarsio i aros gyda thîm America i'w gwarchod nhw. Ro'n i'n ceisio cadw yn y cefndir, ond trwy wneud hynny fe dynnais i lawer mwy o sylw ataf i fy hun na phetawn i wedi ymddwyn yn naturiol!'

Roedd Alun eisiau gwybod y manylion i gyd. 'Beth yn union oedd cynllun Ros?' gofynnodd.

Roedd golwg ddifrifol ar wyneb Meinir. 'Roedd hi eisiau bod yn gyfoethog, ac roedd hi'n benderfynol o gael ei dwylo ar lwythi o arian. Daeth hi'n ôl i fyw gyda'i brawd rai misoedd yn ôl. Yn gyntaf, anfonodd negeseuon at swyddogion Llywodraeth Cymru yn bygwth y byddai hi'n difetha Sialens Ieuenctid y Byd yng Nghymru os na fydden nhw'n talu deng miliwn o bunnau iddi. "Y Cudyll Coch" oedd hi'n galw'i hun. Roedd hi ac Antony Masters yn sicr y byddai'r Llywodraeth yn fodlon talu.

'Ond doedd y Prif Weinidog ddim yn bwriadu ildio 'run fodfedd. Fe drefnodd Ros ac Antony Masters sawl peth – yr ymosodiad ar Sara Santorina yn Llanelwedd, yr olew ar y ffordd o flaen Johnson Dwight, y difrod i feic Li Bao, a'r neidr yn y ffos yn Llanwrtyd. Roedden nhw'n gyfrwys iawn yn cael pobl eraill i weithredu drostyn nhw. Pan oedd pobl yn dod i ferlota yn Ffynnon y Benglog, byddai Ros yn cadw'u henwau a'u cyfeiriadau ac yna'n anfon negeseuon dienw atyn nhw, yn bygwth gwneud niwed i'w teuluoedd neu eu busnesau os nad oedden nhw'n ufuddhau i'w gorchmynion.'

'Ych a fi!' meddai Catrin yn grac. Roedd hi'n edrych yn reit welw, ac aeth Wncl Jim draw a rhoi ei fraich am ei hysgwydd.

Aeth Meinir ymlaen, 'Pan sylweddolodd Ros a Masters nad oedd y Llywodraeth yn bwriadu talu, fe newidion nhw'r cynllun. Penderfynon nhw herwgipio Sara Santorina, gan wybod bod ei thad yn ddyn cyfoethog iawn. Pan welson nhw Li Bao yn rhedeg ochr yn ochr â Sara Santorina, roedd yn rhaid ei herwgipio hithau hefyd. Roedd Ros wedi troi rhai o'r arwyddion ar y cwrs yn union cyn i Sara a Li Bao gyrraedd y pwynt hwnnw, er mwyn gwneud iddyn nhw redeg oddi ar y cwrs. Yna fe drodd hi'r arwyddion yn ôl cyn i'r rhedwyr nesaf gyrraedd. Digwyddodd popeth mor gyflym. Roedden ni'n lwcus eich bod chi blant wedi sylwi ar unwaith, neu gallai'r Cudyll Coch fod wedi llwyddo.'

Gwridodd Alun. 'Tracio'r rhedwyr ar App y Sialens o'n i,' meddai.

Edrychodd Wncl Jim yn syth at Alun. 'Rwyt ti'n fachgen craff iawn,' meddai. 'Roeddet ti'n fy amau i, on'd oeddet ti?'

'Fe welais i chi'n eistedd wrth y cyfrifiadur un noson,' meddai Alun.

'Do fe'n wir?' meddai Wncl Jim mewn syndod. 'Wyddwn i ddim. Rhaid i mi fod yn fwy gofalus,' ychwanegodd â gwên. 'Rhywbeth arall?'

'Wel, roeddech chi'n siarad ar y ffôn yn aml iawn, yn enwedig pan oedd un o gystadlaethau'r Sialens ymlaen, ac fe wnaethoch chi ddiflannu sawl gwaith . . .' Tawelodd Alun. Doedd e ddim eisiau cyfaddef ei fod wedi amau mai Wncl Jim oedd yn cynllwynio yn erbyn y Sialens!

'Hm,' meddai Wncl Jim, 'byddai dyn ifanc fel ti yn gwneud yn dda fel un ohonon ni. Rhaid i mi gadw golwg arnat ti ymhen ychydig flynyddoedd. A dw i'n debygol o weld tipyn ohonot ti, beth bynnag,' ychwanegodd â gwên, gan edrych yn slei i gyfeiriad Catrin.

'Ond sut oeddet ti'n gwybod bod Ros wedi'n herwgipio ni?' gofynnodd Catrin.

'Fi ddywedodd,' meddai Jac yn bwysig.

'Ie,' meddai Wncl Jim gan wenu. 'Ro'n i'n amau bod rhywbeth o'i le yn Ffynnon y Benglog beth bynnag, a phan redodd Jac draw ata i neithiwr yn gweiddi ei fod wedi gweld Ros yn eich gwthio chi'ch dau i mewn i'w cherbyd, fe ddaethon ni yma cyn gynted ag y gallen ni . . .'

Roedd Jac wedi cael digon ar siarad am y Cudyll Coch. 'Y peth pwysig yw,' meddai'n uchel, 'pwy enillodd rasys Sialens y Mynydd neithiwr?'

Edrychodd Alun ar ei wats. 'Mae Sianel y Sialens yn darlledu am naw o'r gloch,' meddai. 'Bydd y rhaglen yn cychwyn mewn pum munud.'

'Brecwast i bawb gynta,' mynnodd Wncl Jim. Dechreuodd godi'r wyau wedi berwi allan o'r sosban â llwy fawr, ac eisteddodd pawb o amgylch y bwrdd.

Wedi iddyn nhw orffen eu brecwast, aeth y plant i'r lolfa i wylio Sianel y Sialens. Arhosodd Wncl Jim a Meinir a Trudy yn y gegin i drafod digwyddiadau'r nos ymhellach. Maes o law clywodd Alun injan cerbyd yn tanio a gwyddai fod Trudy a Meinir wedi mynd. Bron ar unwaith, clywodd ffôn Wncl Jim yn canu.

Canolbwyntiodd Alun ar y sgrin. Roedd llais Rhion Wiliam yn llawn brwdfrydedd.

'Noson wych!' meddai'n gyffrous. 'Y tro cyntaf erioed i ras nos fod yn rhan o Sialens Ieuenctid y Byd.'

'Ond pwy enillodd?' gofynnodd Jac yn ddiamynedd.

'Ac yn awr,' meddai Rhion Wiliam, 'fe gawn ni weld uchafbwyntiau'r ddwy ras. Yn gyntaf, ras y dynion.'

Dangoswyd llun o'r cystadleuwyr yn sefyll ar y llinell gychwyn. Ar waethaf y goleuadau, roedd hi'n anodd gwybod pwy oedd pwy yn y tywyllwch. Bethan oedd y sylwebydd unwaith eto, a rhoddodd adroddiad llawn.

'Yn fuan iawn,' meddai, 'collwyd dau o'r cystadleuwyr. Baglodd Canbek Polat o Dwrci ar y tir anwastad, ac fe syrthiodd Osian Llew drosto. Bu'n rhaid i'r ddau roi'r gorau i'r ras, ond maen nhw'n gobeithio cymryd rhan yn Sialens y Ddinas ddydd Sul.'

Dangoswyd lluniau o'r rhedwyr oedd ar y blaen. Roedden nhw bron â chyrraedd y copa.

'Tri rhedwr fu'n arwain am y rhan fwyaf o'r ras,' meddai Bethan, 'dau o Ethiopia, a Conan Munro o'r Alban. Y tu ôl iddyn nhw roedd Daaf Visser, a ymdrechodd yn galed i gadw'n agos at y tri o'i flaen.'

Gwelwyd llun o Conan Munro'n sbarduno ymlaen. Dechreuodd ef ac un o redwyr Ethiopia sbrintio yn erbyn ei gilydd. Roedd y rhedwr arall o Ethiopia'n colli tir, a chyhoeddodd Bethan:

'Yn gyntaf, Conan Munro ac yn ail, Giorgis Berhanu o Ethiopia. Ac edrychwch ar Daaf Visser!' gwaeddodd yn gyffrous. 'Mae'n ennill tir. Daaf Visser sy'n drydydd!'

Yna roedd hi'n bryd gweld uchafbwyntiau ras y merched.

'Wel,' meddai Bethan, 'roedd un rhedwraig ben ac ysgwydd yn well na'r lleill yn y ras hon – roedd Amira Dabir yn arwain o'r dechrau i'r diwedd.' Gwelwyd lluniau o Amira Dabir yn rhedeg yn gryf a chyflym. Doedd neb yn agos ati.

'Cafwyd tipyn o gystadleuaeth am yr ail a'r trydydd safle,' ychwanegodd Bethan. 'Ar un adeg roedd Fanny de Jong yn ail, ac fe gafwyd perfformiad da iawn gan Mairi McShane o'r Alban hefyd.'

'Dyma fel y gorffennodd hi,' meddai Bethan. 'Roedd Sara Santorina a Li Bao yn agos iawn at ei gilydd trwy gydol y ras. Gyda llaw, i'r rhai hynny ohonoch chi fu'n eu tracio ar yr App, digwyddodd rhyw anffawd dechnegol yn ystod y ras ac fe gollwyd y ddwy oddi ar y cwrs am ychydig. Ond dyma nhw nawr yn dod at y llinell derfyn. A dyma i chi enghraifft wych o gystadlu rhyngwladol cyfeillgar – welais i erioed unrhyw beth tebyg!'

Croesodd Sara Santorina a Li Bao y llinell derfyn ar yr un eiliad, law yn llaw, yn gwenu'n llydan!

'Roedden nhw'n gydradd ail!' meddai Alun yn gyffrous wrth Jac.

Ddaeth dim ateb. Trodd Alun a Catrin i edrych. Roedd Jac yn cysgu'n drwm!

Agorodd y drws a daeth Wncl Jim i mewn. Ar unwaith, amneidiodd Catrin iddo gadw'n dawel.

'Dw i newydd fod yn siarad â'r Prif Weinidog,' sibrydodd Wncl Jim. 'Mae'n ein gwahodd ni i gyd i Stadiwm y Mileniwm i wylio Sialens y Ddinas ddydd Sul! Hoffech chi fynd?'

Gelert yn galw

Gorweddai Twm a Ffranco yn eu basgedi yn y sièd. Roedd Ffranco wedi cael bath, ac roedd Twm ac yntau wedi mwynhau brecwast enfawr. Erbyn hyn roedd Ffranco wedi blino'n lân a bron yn rhy gysglyd i gadw'i lygaid ar agor. Roedd yn gwneud ei orau i aros ar ddihun oherwydd roedd ef a Twm yn gobeithio clywed oddi wrth Gelert. Gwyddai Twm fod y pennaeth wedi ei anafu'n wael, oherwydd roedd wedi gweld archoll ddofn ar ei ysgwydd.

Roedd hi'n dawel iawn yn y sièd, a Twm ei hun yn hanner-cysgu pan ddirgrynodd coleri'r ddau gi.

'Tonfedd C4. Gelert yn galw asiantau C4. Gelert yn galw asiantau C4.'

Ar unwaith roedd y ddau'n hollol effro.

'Diolch i bawb a gymerodd ran yn yr ymgyrch neithiwr. Mae'r Cudyll Coch a gweddill y giang wedi eu dal, ac mae'r perygl i Sialens Ieuenctid y Byd yng Nghymru ar ben. Treuliais innau rai oriau'n derbyn triniaeth feddygol, ond rydw i bellach yn ôl yn y pencadlys.'

Bu tawelwch am eiliad, wedyn aeth Gelert yn ei flaen.

'Mae Asiant Bedwyr wedi cael ei ddiarddel o C4 am byth. Fel eich cyfaill ac fel pennaeth, llongyfarchiadau i chi i gyd. Drosodd ac allan.'

Syllodd Ffranco a Twm ar ei gilydd. Roedd Gelert yn well! Dyna'r newyddion gorau posib. Cyn iddyn nhw gael cyfle i drafod y peth, dirgrynodd coler Twm eto. Neges i Twm yn unig oedd hon.

'Tonfedd C4. Gelert yn galw Asiant Twm. Gelert yn galw Asiant Twm.'

'Asiant Twm. Dw i'n gwrando. Dw i'n falch iawn o glywed dy fod yn gwella. Drosodd.'

'Gelert. Diolch, gyfaill; mae fy niolch yn fawr i ti am arwain asiantau C4 yn yr ymgyrch yn erbyn y Cudyll Coch ac am oresgyn y perygl oddi wrth Asiant Bedwyr. Nos Iau, fe gefais i neges gan Asiant Bedwyr yn dweud dy fod ti ac Asiant Ffranco am i mi gyfarfod â chi yn Ffynnon y Benglog, gan eich bod wedi darganfod rhywbeth pwysig. Pan gyrhaeddais i yno, fe ymosododd y Cudyll Coch a'r giang arna i a'm taflu i mewn i'r ffynnon. Drosodd.'

Rhaid bod Gelert yn y ffynnon pan o'n i yno ddydd Gwener gydag Alun a Catrin, meddyliodd Twm.

'Asiant Twm. Beth yw hanes Asiant Bedwyr? Drosodd.'

'Gelert. Cafodd ei ddiarddel a'i erlid o'r pencadlys. Dilynodd Asiant Shaz ef nes iddo groesi Pont Hafren. Mae asiantau'r gororau dan orchymyn i'w rwystro os bydd e'n ceisio dychwelyd i Gymru. Dw i erioed wedi gorfod diarddel asiant o'r blaen. Fel pennaeth C4, dw i'n ffodus fy mod yn gallu dibynnu ar asiantau da a ffyddlon fel ti, gyfaill. Drosodd.'

'Asiant Twm. Dim ond gwneud fy rhan. Drosodd ac allan.'

Edrychodd Twm draw ar Ffranco. Roedd hwnnw'n chwyrnu'n braf. Caeodd Twm ei lygaid a chwympo i gysgu.

15

Caerdydd!

Prynhawn Sul yn Stadiwm y Mileniwm oedd hi, ac eisteddai Alun, Catrin a Jac yn rhai o'r seddau gorau! Roedd eu rhieni wedi cael gwahoddiad hefyd, felly roedd rhieni Alun wedi gadael Gwesty Llety Ceirios yng ngofal Mam-gu. Eisteddai mam a thad Jac gyda rhieni Catrin. Doedd Alun ddim wedi cyfarfod â mam Catrin, Anna Wiliams, o'r blaen, a doedd e erioed wedi gweld Wncl Jim yn gwisgo siwt chwaith! Wrth draed Alun a Jac eisteddai Twm a Ffranco, oherwydd roedd Wncl Jim wedi cael caniatâd arbennig i'w gadael i mewn i'r Stadiwm.

Roedd pawb wedi cael cinio ardderchog, a nawr roedden nhw'n barod i wylio'r gystadleuaeth olaf oll yn Sialens Ieuenctid y Byd yng Nghymru, sef cystadleuaeth y dynion yn Sialens y Ddinas. Roedd cystadleuaeth y merched wedi'i chynnal yn y bore, cyn i Wncl Jim a'r plant gyrraedd. Roedd Jac yn bur siomedig ei fod wedi colli cyfle i weld Sara Santorina'n cystadlu am y tro olaf, ond gwyddai y câi ei gweld eto yn y seremoni wobrwyo ar ddiwedd y Sialens.

'Alun!' meddai Jac yn frwdfrydig. 'Edrych ar dy App! Pwy enillodd Sialens y merched?'

'Zalene Silongo o Dde Affrica oedd yn gyntaf,' atebodd Alun, 'a Charlene Allambie yn ail. Yn drydydd roedd Lotte Hass, cystadleuydd arall o Dde Affrica.'

'Da iawn,' meddai Catrin. 'Doedd De Affrica ddim wedi ennill yr un pwynt hyd yn hyn.'

Roedd ras y dynion ar fin cychwyn, a gallai'r gynulleidfa yn y Stadiwm wylio'r cystadlu ar sgrin fawr. Roedd tair rhan i'r ras. Yn gyntaf roedd yn rhaid i'r cystadleuwyr oresgyn cyfres o rwystrau anodd oedd wedi'u gosod gerllaw Canolfan y Mileniwm yn y Bae. Wal fawr ddu oedd un ohonyn nhw, a rhyw fath o wal raffau oedd un arall. A doedd ail ran y ras ddim mymryn yn haws! Roedd yn rhaid rhwyfo mewn cwrwgl ar hyd afon Taf. Ras trwy strydoedd y ddinas oedd trydedd ran y gystadleuaeth, gan orffen yn Stadiwm y Mileniwm, a dyna pryd y byddai'r gynulleidfa yno'n gweld y cystadleuwyr yn fyw am y tro cyntaf.

Yn sydyn, cododd si fawr. Roedd y ras wedi cychwyn yn y Bae, a Johnson Dwight eisoes ar y blaen. Oherwydd ei gyhyrau cryf, gallai ddelio'n rhwydd â'r wal fawr a'r wal raffau. Yn dynn ar ei sodlau roedd Huang Enlai o China. Ble oedd athletwyr Cymru? Gwelodd Alun fod Osian Llew yn bedwerydd. Chwiliodd am Rhys Llwyd Elis, ond roedd hwnnw ymhellach yn ôl. Roedd sylwebaeth Sianel y Sialens yn cael ei bwydo i mewn i'r Stadiwm, a Harri oedd yn gyfrifol am ran gyntaf y ras.

'Mae Canbek Polat wedi chwythu'i blwc,' meddai, 'ac mae'n amlwg bod Conan Munro braidd yn gloff heddiw. Johnson Dwight sy'n ennill y rhan yma o'r ras. Tybed fydd e'n ennill tlws yr unigolyn o blith y dynion eto'r tro hwn?' gwaeddodd. 'Yn ail mae Huang Enlai o China, ac yn drydydd Americanwr arall, Hiram Shanks. Wrth edrych yn ôl fe wela i fod Rhys Llwyd Elis nawr yn bumed, ond mae Osian Llew wedi colli tir. Mae'r cystadleuwyr cyntaf yn dringo i mewn i'r cyryglau. Drosodd atat ti, Rhion.'

Rhion Wiliam oedd yn sylwebu ar ail ran y gystadleuaeth. Doedd neb o'r dynion wedi cael llawer o gyfle i ymarfer mewn cwrwgl, ac roedd y cychod bach yn bobian yn ddireolaeth yn nyfroedd afon Taf. Yn raddol, daeth y goreuon yn gyfarwydd â'r dechneg angenrheidiol.

'Mae Johnson Dwight yn dal i fod ar y blaen,' meddai Rhion. 'Mae'n gallu rheoli'r cwrwgl yn dda iawn. Ond arhoswch funud, mae pethau'n newid y tu ôl iddo.' Roedd Huang Enlai yn rhwyfo'n araf a gofalus, ac yn dal yn yr ail le, ond roedd Hiram Shanks druan mewn trafferthion ofnadwy. Y diwedd fu i'w gwrwgl ddymchwel a bu'n rhaid iddo nofio am y lan!

'Mae Rhys Llwyd Elis yn ennill tir!' meddai Rhion Wiliam yn frwd.

Daeth bloedd o blith y dyrfa yn y Stadiwm – 'Cymru am byth! Cymru! Cymru! Cymru!'

'Rhys Llwyd Elis sy'n drydydd ar ddiwedd yr ail ran!' gwaeddodd Rhion Wiliam nerth ei ben. 'Cymru am y Sialens! Drosodd atat ti, Bethan, am y rhan olaf!'

'Johnson Dwight o America'n gyntaf, Huang Enlai o China'n ail, ac yn dynn ar ei sodlau mae Rhys Llwyd Elis o Gymru! Dyna fel maen nhw'n sefyll ar ddechrau rhan olaf y ras olaf yn Sialens Ieuenctid y Byd yng Nghymru! Pwy sy'n mynd i ennill?'

Gwyliodd y gynulleidfa ar y sgriniau wrth i'r arweinwyr ddechrau rhedeg trwy strydoedd Caerdydd. Pwy fyddai'r cyntaf i ddod i mewn i'r Stadiwm? Pwy fyddai'n ennill? Roedd miloedd o bobl ar hyd y ffordd, a channoedd o faneri Cymru'n chwifio. Roedd y tri rhedwr ar y blaen yn tynnu i ffwrdd oddi wrth y gweddill. 'Osian Llew sy'n bedwerydd,' sgrechiodd Bethan, 'ond dyw e ddim yn mynd i ddal y lleill. Johnson Dwight sy'n dal ar y blaen!'

Dangoswyd llun o wyneb Johnson Dwight. Roedd y chwys yn pefrio ar ei dalcen ac yn llifo dros ei ruddiau. Rhedai yn ei flaen heb edrych i'r naill ochr na'r llall, fel petai e ddim yn gweld nac yn clywed y miloedd o'i gwmpas!

'Mae Huang Enlai'n arafu!' sgrechiodd Bethan. 'Mae Rhys Llwyd Elis yn ennill tir arno! Maen nhw bron â chyrraedd y Stadiwm!'

Pan redodd Johnson Dwight i mewn i'r Stadiwm, cododd pawb ar eu traed i'w gydnabod. Ble roedd Rhys Llwyd Elis? Roedd yn rhaid i Johnson Dwight redeg un cylch cyflawn o amgylch y Stadiwm cyn cyrraedd y llinell derfyn.

'Mae Rhys Llwyd Elis yn y Stadiwm!' sgrechiodd Bethan. 'Mae e yn yr ail safle!'

Roedd llygaid pawb yn y Stadiwm ar y ddau ddyn yn rhedeg tuag at linell derfyn ras olaf Sialens Ieuenctid y Byd yng Nghymru.

'Rhed, Rhys!' gwaeddodd Alun.

'Cymru! Cymru! Cymru!' bloeddiodd Wncl Jim.

Roedden nhw o fewn pum metr i'r llinell pan sbardunodd Rhys Llwyd Elis ei hun am y tro olaf.

'RHYS LLWYD ELIS SY WEDI ENNILL!' bloeddiodd Bethan, ond doedd neb yn ei chlywed. Roedd pawb ar eu traed yn gweiddi 'Hwrê!' a chofleidio'i gilydd.

Wnaeth pethau ddim tawelu yn Stadiwm y Mileniwm am awr gyfan. Roedd y gynulleidfa enfawr wrth ei bodd, a bellach roedd pawb yn aros yn eiddgar am y seremoni wobrwyo. O'r diwedd, ymdeithiodd cystadleuwyr pob gwlad i mewn, a'r tro hwn roedd y gwledydd yn gymysg. Cerddai Conan Munro ac Osian Llew gyda Canbek Polat a Hiram Shanks. Roedd Li Bao a Sara Santorina law yn llaw unwaith eto. Dawnsiodd Zalene Silongo a Kylie Dafis i mewn gyda'i gilydd.

Eisteddodd y cystadleuwyr ar seddau arbennig yng nghanol y Stadiwm, a chamodd y Prif

Weinidog i'r llwyfan yn barod i rannu'r gwobrau. Tawelodd y gynulleidfa.

Rhion Wiliam oedd y llefarydd. 'Ydych chi i gyd wedi mwynhau'r cystadlu?' gwaeddodd.

'Ydyn!' atebodd pawb.

'Ydych chi'n meddwl bod Sialens Ieuenctid y Byd yng Nghymru wedi bod yn llwyddiannus?' gwaeddodd.

'Ydyn!' rhuodd y dorf.

'Ydych chi eisiau gwybod pwy sy wedi ennill y tlysau?'

'Ydyn!'

'Brysia, wnei di,' meddai Jac yn ddiamynedd.

'Yn gyntaf, tlysau'r pedair Sialens,' cyhoeddodd Rhion Wiliam. 'Enillydd Tlws y Gogarth yw . . . CHINA!'

Cerddodd Huang Enlai yn ei flaen i dderbyn y tlws, a gwên fawr ar ei wyneb.

'Enillydd Tlws y Mwd yw . . . MECSICO!' Rhedodd Milana Hurtado i'r llwyfan â sombrero fawr ar ei phen.

'Mae Tlws Pumlumon yn mynd i . . . ETHIOPIA!' Derbyniodd Amira Dabir gymeradwyaeth gynnes iawn.

'Ac enillwyr Tlws y Ddinas yw . . . DE

AFFRICA!' Clywyd sgrech fawr, a dawnsiodd Zalene Silongo i'r llwyfan i dderbyn y wobr.

Cododd Rhion Wiliam ei law i ofyn am dawelwch. 'Yn awr,' meddai, 'dyma gyflwyno Tlws Sialens Ieuenctid y Byd yng Nghymru i'r wlad sydd wedi ennill y cyfanswm uchaf o bwyntiau. Ac eleni am y tro cyntaf . . . mae'r tlws yn cael ei rannu rhwng dwy wlad. Dewch i'w dderbyn . . . YR UNOL DALEITHIAU A CHINA!'

Daeth bonllef o gymeradwyaeth wrth i aelodau timau'r ddwy wlad esgyn i'r llwyfan. Roedd Sara Santorina ar ysgwydd Hiram Shanks, ac roedd Li Bao yn cofleidio Huang Enlai. Cododd Johnson Dwight ei freichiau'n uchel i dderbyn cymeradwyaeth cynulleidfa Stadiwm y Mileniwm.

'Dim ond dwy wobr sydd ar ôl i'w cyflwyno,' meddai Rhion Wiliam. 'Yn gyntaf mae Tlws Unigolyn y Merched yn mynd i Amira Dabir.' Unwaith eto daeth Amira Dabir i'r llwyfan. Heb amheuaeth, hi oedd y ferch fwyaf disglair o blith holl ferched y Sialens ac unwaith eto fe gafodd gymeradwyaeth gynnes iawn.

'Ond yn awr,' meddai Rhion Wiliam, 'yn dilyn buddugoliaeth syfrdanol yn y ras olaf,

mae Tlws Unigolyn y Dynion yn mynd i . . .
RHYS LLWYD ELIS!'

Aeth y gymeradwyaeth ymlaen am chwarter awr wrth i Brif Weinidog Cymru gyflwyno Tlws Unigolyn y Dynion yn Sialens Ieuenctid y Byd yng Nghymru i gapten tîm Cymru. Roedd pobl yn canu 'Hen wlad fy nhadau' a 'Cwm Rhondda' ac yn gweiddi 'Cymru! Cymru! Cymru!' Roedd llawer yn eu dagrau.

Yng nghanol y sŵn, teimlodd Twm a Ffranco eu coleri'n dirgrynu.

Llwyddodd y ddau i sleifio o'r neilltu.

Gelert yn galw

'Tonfedd C4. Gelert yn galw asiantau C4. Gelert yn galw asiantau C4. Dyma neges oddi wrth Brif Weinidog Cymru i Asiantau C4 . . . "Bu Sialens Ieuenctid y Byd yn llwyddiant mawr yng Nghymru. Mae fy niolch i a'm Llywodraeth yn fawr unwaith eto i Gelert a'i asiantau dewr. Gelert am byth! C4 am byth! Cymru am byth!" Drosodd ac allan.'